Pierre Billard a
été critique
cinématographique
à *L'Express* à partir
de 1963, puis rédacteur
en chef de 1967 à 1971.
Cofondateur du *Point*
en 1972, il y est
rédacteur en chef,
responsable des
rubriques culturelles
jusqu'en 1990. De 1967
à 1975, il a assuré
un cours de «Cinéma
et Civilisation» à
l'Institut des sciences
politiques. Depuis 1954,
il participe au Festival
de Cannes, contribuant
pendant plusieurs
années à la sélection
des films. Membre du
Jury en 1971, il est
depuis conseiller de la
présidence. Historien
du cinéma, il a écrit
notamment : *Jean
Grémillon* (Anthologie
du Cinéma, 1965,
1972), *L'Age classique
du cinéma français*
(Flammarion, 1995)
et *Julien Duvivier*
(France Cinéma, 1996).

Dépôt légal : mars 1997
Numéro d'édition : 76080
ISBN : 2-07-053377-8
*Imprimerie Kapp Lahure
Jombart, à Evreux*

*Ce livre a été réalisé à l'occasion
du cinquantième Festival de Cannes
avec le concours du Festival
International du Film.*

D'OR ET DE PALMES
LE FESTIVAL DE CANNES

Pierre Billard

DÉCOUVERTES GALLIMARD
CINÉMA

Le premier Festival de Cannes eut lieu en 1946. Quand a été ou sera célébré le 50e Festival? En 1996? Pas du tout! Si le Festival avait eu lieu tous les ans, le 50e se serait déroulé en 1995. Mais il a sauté deux années et a donc lieu en 1997. C'est compliqué? La naissance du Festival est compliquée. Inauguré en 1946, le Festival trouve son assise en 1951. Mais son histoire commence en 1938...

CHAPITRE PREMIER
UN RÊVE OBSTINÉ
(1938-1951)

L'affiche du premier Festival de 1939, finalement annulé, évoque davantage un casino qu'un festival de cinéma (page de gauche). En 1946, Michèle Morgan, interprète de *La Symphonie pastorale*, devant l'affiche de *The Lost Weekend*, avec Ray Milland (ci-contre). Tous deux seront les premiers acteurs primés à Cannes.

La préhistoire se situe à Venise.
Depuis 1895 s'y tient une
prestigieuse Biennale d'Art.
En 1932, elle ajoute le cinéma
à son programme. Cette
«Mostra Internazionale d'Arte
Cinematografico» inscrit le cinéma
parmi les beaux-arts traditionnels
et reconnaît à ce divertissement
populaire le statut d'art autonome.

La Mostra Internazionale d'Arte Cinematografico de Venise en crise

Mais pour l'heure, en Italie, on se
soucie moins de la place du cinéma
dans la hiérarchie des arts que
d'économie et de politique.
L'économie d'abord. L'initiateur
du Festival de Venise est le comte
Giuseppe Volpi Di Misurata.
Ce mécène généreux et cultivé est
aussi l'un des principaux dirigeants
de la CIGA, société d'hôtels de luxe
qui gère entre autres les deux grands
palaces situés sur l'île du Lido
à Venise. La crise américaine
puis européenne des années trente
entraîne une mutation sociale
de la clientèle et la diminution
du «tourisme d'élite». Le Festival
de Venise se préoccupe moins de
hausser le prestige du cinéma que
de démocratiser l'hôtellerie de luxe
en y attirant la bourgeoisie aisée.

La politique ensuite. Dans l'Italie
de Mussolini, le fascisme devient
de plus en plus arrogant, et l'alliance
avec Hitler de plus en plus étroite.
En août 1938, la Mostra de Venise
se déroule dans un climat de tension
internationale exacerbée (le sort de
la Tchécoslovaquie est en train de se
jouer) et tourne à la fâcherie officielle

au moment du palmarès. Les pays démocratiques (notamment la France, la Grande-Bretagne et les Etats-Unis) protestent contre l'attribution *ex aequo* du Grand Prix

à un film supervisé par le fils de Mussolini et au film allemand de Leni Riefenstahl sur les jeux Olympiques, que son caractère documentaire

«L'exposition internationale d'art cinématographique» : c'est ce que proclame l'affiche du premier Festival de cinéma de Venise en 1932 (au centre). Mais bientôt la politique s'en mêle. Les deux principaux prix s'intitulent «Coupe Mussolini» et «Coupe du Parti national fasciste» : ce n'est pas du goût de tout le monde.

En 1938, le film documentaire de Leni Riefenstahl *Les Dieux du stade* (ci-dessus) renvoie à la fois au contexte politique de l'Italie et de l'Allemagne et lance un esthétisme cinématographique «fasciste». Le président du Festival, le comte Volpi Di Misurata, tente de rester proche du cinéma en créant les Coupes Volpi, pour les meilleurs acteurs et actrices (coupe qu'il remet – ci-contre – à Annabella en 1936).

exclut réglementairement. Pas question de revenir l'année prochaine dans les mêmes conditions!

Une opportunité pour la France

Cet incident de parcours déclenche le processus qui va conduire au Festival de Cannes. Par les deux mêmes voies, politique et économique. Les représentants français à Venise perçoivent vite l'occasion à saisir. Si Venise est en crise, la France, pays démocratique de grand cinéma, n'est-il pas le mieux désigné pour reprendre le flambeau et manifester aux yeux du monde l'équité de ses lois, la vitalité de sa culture, la qualité de son accueil? Il faut créer d'urgence un festival du cinéma en France.

Un homme incarne, parmi d'autres, cette initiative. Philippe Erlanger est un historien qui dirige l'Association française des Activités artistiques, chargée des échanges artistiques avec les pays étrangers. Présent à Venise, il demande à son ministre de tutelle, dès son retour, un feu vert pour son projet. Jean Zay, rescapé du gouvernement de Front populaire à l'Education nationale, lui accorde son soutien. Une bataille politique s'engage entre les «culturels», qui voient dans le projet de festival une opportunité de servir le prestige national, et les «diplomates», conduits par le ministre des Affaires étrangères, Georges Bonnet, pour qui l'essentiel est d'assurer la neutralité de l'Italie dans les conflits qui

POUR REMPLACER LA ‹BIENNALE›

On organiserait une manifestation du cinéma international à Canne

La crise déclenchée à Venise engendre des rumeurs dont la presse se fait l'écho. Philippe Erlanger (à gauche), qui est l'un des

Cet entrefilet exact.Les Améri cai Venise si nous org palité et des hôte d'Azur.

Le moment ne s dans ce Domaine ?

initiateurs du projet du Festival en France, s'appuie sur cette campagne de presse pour alerter son ministre, Jean Zay. La note revient à Georges Huisman, directeur des Beaux-Arts, avec la mention «D'accord. S'en occuper». Huisman transmet à Erlanger en ajoutant «M'en parler». Ce document (ci-dessus) constitue le véritable déclencheur d'un processus qui aboutira, huit ans plus tard, à la création du Festival de Cannes.

s'annoncent, en veillant à ne lui faire nul affront.
Pendant plusieurs mois, le dossier reste bloqué.
Le projet va recevoir un discret mais efficace
soutien des professionnels du tourisme et de
l'hôtellerie. Plusieurs villes balnéaires ou thermales
(notamment Monaco, Nice, Biarritz et Vichy) ont vite
compris l'intérêt présenté
par le projet de festival et intriguent
pour recueillir l'héritage de Venise.

nsieur le Ministre

ans le Jour le 20 courant est un fait

les Anglais abandonneraient volontiers

ns , en collaboration avec une Munici-

Midi, une saison analogue sur la Côte

il pas venu d'essayer pareille chose

erais avoir votre sentiment à cet égard.

Le directeur des Beaux-Arts Georges Huisman (ci-dessous, à gauche) a fait sortir de sa retraite Louis Lumière (à droite) pour lancer l'idée du Festival de Cannes. Dans l'ombre, mais très actifs, syndicats de l'hôtellerie, élus locaux et régionaux mobilisent leurs relations économiques et politiques pour la «bataille de Cannes».

A peine né, le nouveau Festival est reporté pour cause de guerre mondiale

Au printemps 1939, l'Italie est trop engagée aux côtés de l'Allemagne pour être ménagée : les Affaires étrangères donnent leur feu vert. Cannes est choisie pour accueillir le Festival dont la date est fixée du 1er au

Cannes

The radiant city, where stars shine their brightest for ...

20 septembre 1939. Mais on est fin mai et tout reste à faire : trouver l'argent, un lieu de projection, inviter les pays, sélectionner des films, organiser des fêtes, calmer les rivaux éliminés, passer un arrangement avec Venise (qui continuera, avec des films français, en août...), négocier avec les Anglais qui marchandent leur venue contre une augmentation du quota des films anglais autorisés à l'importation... et cent choses encore. Fin août, un bateau amène un contingent de stars américaines. Les fêtes commencent. Mais Hitler se prépare à envahir la Pologne. Le 28 août, l'ouverture du Festival est reportée au 10 septembre. Le 30 août, c'est la mobilisation générale, le 3 septembre, la guerre. Adieu, Festival.

Pas tout à fait. Les promoteurs du projet tenteront de le ressusciter en décembre 1939, en février puis mars, puis avril 1940, et même en avril 1942... En décembre 1944, Philippe Erlanger négocie déjà avec

En 1939, le dépliant publicitaire en anglais invite le monde entier à Cannes, «la ville radieuse où les étoiles brillent le plus fort, pour trois semaines de splendeur

Three we...
and

et d'enchantement». La «ville radieuse» a même prévu ses nouvelles armoiries (page de droite, en haut). En 1946, la guerre a modifié le climat, mais la publicité continue de fonctionner sur le mode euphorique et féerique, comme en témoigne l'affiche du premier Festival (en bas, à droite).

les Américains la reprise du projet pour mars 1945. Mais trop de problèmes majeurs (transport, ravitaillement, logement, communication) doivent être surmontés dans la France meurtrie et l'Europe dévastée.

20 septembre 1946 : ouverture du premier Festival international du Film de Cannes

C'est miracle que le premier Festival international du Film de Cannes puisse s'ouvrir le 20 septembre 1946. Vingt et un pays ont pu être réunis. Ils présentent 68 courts métrages et 40 longs métrages. *La Bataille du rail* de René Clément remporte le Prix du Jury international. Parmi les onze Grands Prix attribués (un par pays grand producteur), *La Symphonie pastorale* de Jean Delannoy, *The Lost Weekend* de Billy Wilder, *Brève Rencontre* de David Lean, et *Rome, ville ouverte* de Roberto Rossellini sont les plus significatifs. Michèle Morgan et Ray Milland sont les premiers lauréats des Prix d'interprétation. En dépit de divers

Un premier Festival très attendu en 1946, mais marqué par le souvenir de la guerre, comme le montrent les films présentés : *La terre sera rouge* (Danemark), *Le Père tranquille* (France), *Rome, ville ouverte* (Italie), *La Dernière Chance* (Suisse), *Le Tournant décisif* (URSS). Le Prix principal remporté par *La Bataille du rail* (page de gauche) prend valeur de symbole : au-delà du talent révélé de René Clément, c'est le temps des luttes et de l'héroïsme qui est honoré.

FESTIVAL INTERNATIONAL DU FILM

CANNES 1946

20 Septembre au 5 Octobre

incidents techniques et diplomatiques, la satisfaction des participants est vive, et l'avenir paraît assuré.

Un budget, un palais, un calendrier

Trois revendications majeures à combler. En premier lieu, tout le monde est d'accord pour continuer mais pas pour payer. Il faudra plusieurs années avant que l'engagement des ministères concernés, de la ville, des partenaires locaux soit assez fort pour garantir la survie de l'institution.

Il manque aussi un lieu adéquat pour accueillir les projections et les invités. Un Palais du Festival est budgétisé. Mais le chantier s'ouvre avec retard. Le Palais est encore en plein travaux à l'inauguration du second Festival, le 12 septembre 1947. Quelques jours plus tard, la tempête en arrache la toiture. Au troisième Festival de 1949, d'ultimes aménagements sont encore en panne et le Palais est largement ouvert aux resquilleurs.

Enfin, il faut régler les relations avec Venise et s'entendre sur un calendrier. Le festival italien a repris dans un pays démocratique et la France n'a

plus de raisons politiques de le combattre. Les deux festivals ne peuvent avoir lieu à la même saison sous peine de se disputer les mêmes films. Un «traité de paix» prévoit que l'Italie gardera ses dates de septembre et que Cannes passera au printemps. Mais la décision est prise trop tard pour être applicable

Au Festival de 1949, Georges Guétary, Fernand Gravey, Errol Flynn, Serge Reggiani, Tilda Thamar tentent l'invasion pacifique des cuisines de l'hôtel.

Le premier Palais du Festival (ci-contre) connaît une naissance mouvementée. A un mois du Festival de 1947, rien n'est prêt. Les ouvriers du chantier mettent un point d'honneur à livrer le Palais à temps en travaillant jour et nuit. Le soir de l'inauguration, ils seront les premières vedettes à défiler sur scène, en bleu de travail, sous les ovations. Il faudra deux ans encore pour finir les travaux. Ici, Rita Hayworth. En 1946, dans *Gilda*, elle séduit Cannes. En 1949, elle revient à Cannes et séduit Ali Khan qu'elle épousera à Saint-Paul-de-Vence.

en 1947. Pour ne pas violer l'«armistice», le Festival de Cannes reste fixé en septembre cette année-là, mais se contente d'une participation réduite (23 films). Tous les coups de frein et les blocages nés de ces trois dossiers amèneront l'annulation des Festivals de 1948 et de 1950.

Son «code génétique», où sont inscrits en priorité le souci économique et le prestige national, font du Festival de Cannes une grande fête internationale, une kermesse aux étoiles, une croisière de luxe vouée aux batailles de fleurs et aux incidents de frontière. Pourtant, progressivement, la fête de la Croisette va devenir la grand-messe du cinéma mondial.

CHAPITRE II
FEUX D'ARTIFICE
(LES ANNÉES 1950)

Ce n'est jamais qu'un dîner. Mais nous sommes à Cannes, et sont présents, ce jour d'avril 1953, V. De Sica, W. Wyler, H.-G. Clouzot, R. Clair, A. Litvak, G. Cooper, O. de Havilland, S. Mangano, E. G. Robinson, J. Marais, K. Douglas, Z. Gabor, G. Sanders, Y. Montand. Grace Kelly, en 1955, pas encore princesse, mais déjà reine de la Croisette (à gauche).

Les deux préoccupations essentielles – économique avec le tourisme et politique avec le prestige national – qui ont présidé aux origines du Festival vont imprimer leur marque à cette grande fête internationale, ponctuée de feux d'artifice et d'incidents de frontière, et fixer son image de kermesse aux étoiles, de croisière de luxe pour VIP et *beautiful people*. Pour beaucoup, les films ne sont que l'occasion, l'alibi de ces rencontres.

Ce cliché initial va survivre plus longtemps que la réalité qu'il reflète au début, et qu'il masque bientôt. Car l'évolution du Festival de Cannes pourrait être racontée comme l'histoire d'une fête touristique à prétexte cinématographique peu à peu dévorée par le dieu dont elle mimait le culte et finalement possédée par l'art dont elle s'était fait

Les cinéastes, les stars et les films italiens ont toujours polarisé l'attention populaire (et celle des jurys). L'hôtel Martinez (fanion à gauche) constitue son vrombissant quartier général, et ses fêtes ont souvent défrayé la chronique. S'il en est une dont le souvenir doit survivre, c'est bien naturellement la «Nuit romaine», avec sa pêche aux bouteilles de Chianti et son avalanche de spaghettis. Page de droite, le délicieux supplice des autographes : Gina Lollobrigida dans la foule en 1955 et dans un cabriolet en 1959.

un drapeau. Ou comment la fête de la Croisette est devenue la grand-messe du cinéma mondial...

Mondanités et patriotisme : batailles de luxe et guerre en dentelles

Le Festival des premières années a des airs de guerre en dentelles. On y livre bataille, mais ce sont des batailles de fleurs avec défilés de chars (à thèmes cinématographiques), auxquelles participent les vedettes. Ou encore des batailles de luxe, de festivités, de banquets, de bals et de réceptions en tous genres.

L'événement, en 1949, ce sont les 350 bouteilles
de champagne de la réception italienne; en 1952,
l'arrivée tardive à la réception espagnole d'une paella
cuisinée à Madrid dont l'avion transporteur a été
détourné par la tempête; en 1959, les 500 bouteilles
d'Ouzo et les 50 000 verres cassés à la réception
de *Jamais le dimanche*. En 1954, le commando
italien composé notamment de Gina
Lollobrigida (91-54-92 : ce sont ses
mensurations), Sophia Loren,
Silvana Mangano, Yvonne Sanson
et Rossana Podesta relance
l'industrie du soutien-gorge.

Guerre en dentelles toujours,
quand le journaliste de *Match*,

Pierre Galante, avant d'épouser Olivia de Havilland,
emmène Grace Kelly à Monte-Carlo, où elle s'unira,
douze mois plus tard (1956), au prince Rainier.
Ou quand la starlette Simone Silva fait scandale
avec Robert Mitchum et déclenche aux Etats-Unis
une croisade visant à interdire Mitchum à Hollywood
et le cinéma américain à Cannes.

La multiplication des incidents diplomatiques

Dès l'ouverture en 1946, les Soviétiques menacent
de partir. La projection de *La Bataille de Berlin*
a été troublée par des incidents techniques : c'est
un affront à la glorieuse Armée rouge. On les calme,
et les voilà pleinement rassurés : pour la projection
de *Notorious* de Hitchcock, des bobines ont été
interverties. C'est le drapeau américain, maintenant,
qui se sent insulté. Pour comprendre ces réactions,
il faut se souvenir que c'est le gouvernement français
qui organise et invite des représentants des nations.
Les invitations sont transmises par les ambassades,
ainsi que les réponses. Les films sont choisis par
les officiels des différents pays et représentent leur
nation. C'est donc une conférence de l'ONU autant
qu'un congrès cinématographique qu'évoque alors
le climat de Cannes.

   Les incidents diplomatiques pleuvent. En 1951,
les Soviétiques exigent, sans succès, le retrait du film

En 1954, la starlette
Simone Silva
exhibe sa poitrine nue
(à gauche). Robert
Mitchum recueille dans
ses mains cette offrande.
Photos. Scandale. Vite
célèbre, vite oubliée,
Simone Silva se
suicidera peu après.

Le règlement tente d'affiner les critères de sélection des films pour calmer les exclus de la programmation ou du palmarès (ci-dessous, communiqué de presse en 1949).

Le Secrétariat Général du FESTIVAL INTERNATIONAL DU FILM tient à préciser que la participation de tous les pays au Festival de Cannes est conditionnée par le volume de production de chacun de ces pays, et égale pour tous.

Dans la rue, le climat reste pacifique. On n'y livre que des batailles de fleurs et sur le char de l'URSS plane la colombe de la paix (ci-contre). Mais dans les coulisses du Palais, les incidents de frontière sont fréquents. Rien qu'en 1956 le Japon demande le retrait du film *Ma vie commence en Malaisie* (caricature des soldats japonais), le Festival refuse le film est-allemand *Ciel sans étoiles* (contre le morcellement de Berlin) et refuse, à la demande de la RFA, que *Nuit et Brouillard* d'Alain Resnais soit présenté en compétition. C'est beaucoup pour une année. Il ne faut pas compter sur les ministres pour arranger les choses. A l'époque, ils n'apparaissent guère que pour déclarer le Festival ouvert. C'est ce que fera deux fois François Mitterrand, comme secrétaire d'État à l'Information en 1949 et en tant que garde des Sceaux en 1956.

suisse *Quatre dans une Jeep*, mais doivent s'incliner devant le retrait de leur film *Chine nouvelle*, demandé par le Quai d'Orsay par solidarité avec Taïwan. Les Américains demandent en vain le retrait du film japonais *Les Enfants d'Hiroshima*. Le Quai d'Orsay prend l'initiative de faire retirer *Hiroshima mon amour* d'Alain Resnais de peur des foudres américaines. Le directeur du cinéma espagnol est

Même de dos,
comment s'y
tromper. Le côté face
est aussi séduisant que
le côté pile, à en juger
par la mine admirative
des spectateurs
découvrant Brigitte
Bardot (page de gauche),
la starlette de l'année
1956. Parmi eux,
on reconnaît Danièle
Mitterrand (à droite)
et François Mitterrand
(à gauche). La star
en chapeau et fourrure
contemplant la
starlette, c'est Edwige
Feuillère; le regard
qu'elles échangent
mesure le temps qui
passe. Déjà repérée
par les connaisseurs
pour ses apparitions
dans *En effeuillant
la marguerite* et *Les
Grandes Manœuvres*,
Brigitte Bardot n'est
pas à Cannes pour y
accompagner un film,
mais un mari. Vadim,
qui a réuni des fonds
pour tourner *Et Dieu
créa la femme*, mais
en noir et blanc, est
venu à Cannes trouver
les moyens de le
tourner en couleurs.
Bientôt ce sera fait.
Défilé triomphal pour
un trio royal : Sophia
Loren, Alain Delon
et Romy Schneider.
Au premier plan,
le chapeau de Carlo
Ponti, producteur et
mari de Sophia Loren
(en haut). Cary Grant
et Kim Novak, en
1959, lors d'une
escapade maritime
(ci-contre).

limogé pour avoir laissé présenter à Cannes *Viridiana* de Luis Buñuel sous drapeau franquiste. Passés les premiers enchantements, un bilan critique s'échafaude, résumé avec sa clarté habituelle par le critique André Bazin, qui demande au Festival de «se soucier un peu moins des festivités et de la diplomatie et un peu plus du cinéma».

Pendant la fête, le cinéma continue

Les journalistes et critiques, cohorte au début marginale qui prendra du poids et de la consistance, peuvent

Le palmarès du Festival est si glorieux qu'on en oublie ses lacunes. L'absence de Jean Renoir est l'une des plus étranges. Certes, on le voit ici, en 1955, aux marches du Palais. Il est venu présenter, hors Festival, son premier film français depuis la guerre, *French Cancan*, sorti dans les salles quelques jours avant l'ouverture d'un Festival dont il aurait dû être une des attractions et l'un des lauréats. Les exigences extravagantes de son producteur ont empêché sa sélection. *French Cancan* est ovationné et Renoir tient une conférence de presse pétulante et dynamique. Renoir ne figurera au programme du Festival que

pendant cette décennie découvrir le nouveau visage du cinéma mondial. C'est avec transport qu'on accueille Orson Welles, le jeune génie du cinéma. Il n'est qu'acteur (mais quel acteur!) dans *Le Troisième Homme* qui marque sa première apparition sur un écran cannois, et c'est étrangement sous pavillon

deux fois, pour un hommage et une rétrospective : en 1969 et en 1994 (pour le centenaire de sa naissance).

marocain qu'Orson Welles glane
sa Palme d'or avec le premier film
qu'il présente, *Othello*, en 1952.
Parmi tous les cinéastes américains
que l'on retrouve ou que l'on
découvre, Kazan (*Viva Zapata!*,
A l'est d'Eden), Zinnemann (*Acte
de violence*, *Tant qu'il y aura des
hommes*), Wyler (*Detective Story*,
La Loi du seigneur), Minnelli,
Wise, Mankiewicz, Hitchcock,
Preston Sturges sont ceux que
l'on repère avec le plus de plaisir.

Les sélections françaises voient
apparaître souvent les films de
René Clément (c'est sa grande période), de Jacques
Becker (*Antoine et Antoinette* est primé mais
Rendez-Vous de juillet passe inaperçu) et d'André
Cayatte (récompensé pour *Nous sommes tous des
assassins* et *Avant le déluge*). Les moments les plus
forts sont dus à Clouzot (*Le Salaire de la peur* et
Le Mystère Picasso), à Tati (*Les Vacances de M. Hulot*
et *Mon oncle*) et à Bresson (*Un
condamné à mort s'est échappé*).
Les Japonais ont fait une entrée
en force surtout avec des films
samouraïs ou liés à l'ancienne
culture qui frappent par leur
splendeur plastique. Teinosuke
Kinugasa se retrouve deux fois
au Palmarès (*La Porte de l'enfer*
et *Le Héron blanc*).

Des noms déjà s'inscrivent dans
les mémoires : Fellini (*Les Nuits
de Cabiria*), Bergman (*Sourires
d'une nuit d'été*, *Au seuil de la vie*,
Le Septième Sceau), Wajda (*Kanal*),
Satyajit Ray (*Pather Panchali*, *La
Pierre philosophale*), Antonioni (*Mensonges
amoureux*), Malle (*Le Monde du silence*), Kurosawa
(*Si les oiseaux savaient*). Buñuel comble le Festival
de films mexicains (*Los Olvidados*, *El*, *La Montée
au ciel*) avant de rejoindre la France *via* l'Espagne.

« Georges, tu crois
qu'on va l'avoir,
la Palme? – Mais oui,
Yves, c'est certain.»
Clouzot et Montand
sur le point de toucher,
en 1953, le salaire de
la gloire…

Gene Kelly, en 1952,
devant l'affiche de
la sélection officielle
américaine où figure
Un Américain à Paris,
dont il est la vedette.

Le Festival des nouveaux mondes

On découvre les cinémas chinois, yougoslave, tchécoslovaque, hongrois, australien, brésilien, tout un Festival des nouveaux mondes. Surtout le grand phénomène de cette décennie : le néo-réalisme italien. Cannes est la vraie rampe de lancement de

Lana Turner, Orson Welles (Grand Prix en 1952 pour *Othello*) et Robert Favre Le Bret, le «patron» du Festival, lors du dîner de clôture du Festival de 1953 (de gauche à droite).

ce temps fort du cinéma italien avec les films de De Sica (*Miracle à Milan*, *Umberto D.*, *Gare Terminus*, *Le Toit*), mais aussi ces repères que furent *Riz amer* (De Santis) et *Deux Sous d'espoir* (Castellani), *Le Manteau* (Lattuada) et les films importants de Germi comme *Le Chemin de l'espérance* ou *Le Cheminot*. Le cinéma grec est

Venus en 1953 présenter *Sissi*, Magda Schneider, Karl-Heinz Boehm et Romy Schneider (au centre, de droite à gauche).

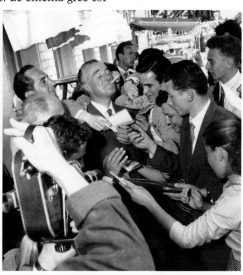

présent presque chaque année avec un film de Cacoyannis. Une jeune autrichienne, Romy Schneider, est arrivée avec sa maman et ses deux films de la série *Sissi* et, pour notre bonheur, n'est plus repartie.

Vittorio De Sica (ci-dessus au milieu des journalistes) ne peut oublier qu'il fut un séduisant jeune premier avant de devenir le réalisateur chef de file du néo-réalisme italien. Huit fois sélectionné en compétition, vainqueur du Grand Prix dès sa première sélection (*Miracle à Milan* en 1951), à Cannes, on le rencontre autant au Casino qu'au Palais du Festival.

Robert Favre Le Bret, l'homme de la situation

Tout nouveau tout beau, le jeune Festival manifeste un appétit de géant et s'impose déjà comme la plus importante manifestation cinématographique au monde. Sur cette phase diplomatico-mondaine de son histoire règne Robert Favre Le Bret. Ancien secrétaire général de l'Opéra, responsable des tournées du corps de ballet à l'étranger, il est familier des subtiles ambassades au carrefour des gothas de l'aristocratie, de la fortune, de la politique, et des beaux-arts. Tour à tour secrétaire général, délégué général et président du Festival de Cannes, ce médiateur peu enclin aux débats cinéphiliques mais passionnément dévoué à son entreprise s'imposera pendant plus de trente ans comme la figure emblématique du Festival.

Le Jury : des académiciens...

Quelques messieurs graves debout derrière leur tribunal rendent leur verdict. Seul le grand parterre de fleurs allège l'atmosphère. Nous sommes en 1951 et la cérémonie reste empesée. André Maurois, président du Jury cette année-là, va accompagner l'évolution de cette institution. Il le présidera en 1957 et 1965, témoignant par là du poids de l'Académie française dans la composition du Jury du Festival. Les autres années, d'autres académiciens le relaient (Marcel Achard, Marcel Pagnol, André Chamson, Maurice Genevoix et, trois fois, Jean Cocteau). En 1966, si Maurois fait partie du Jury avec trois académiciens français (Achard, Genevoix, Pagnol) et deux académiciens Goncourt (Giono et Salacrou), c'est une femme, une actrice, qui préside pour la première fois (à gauche, André Maurois et Sophia Loren). C'est à la fois l'apothéose et la fin de l'ère des académiciens. En 1964, pour la première fois, un grand cinéaste, Fritz Lang (ci-contre), est président du Jury. Désormais, les juges de Cannes viendront de plus en plus du monde du cinéma.

... aux professionnels du cinéma

Pour les 26 derniers Festivals, de 1971 (Michèle Morgan) à 1996 (Francis Ford Coppola, ci-contre), le Jury ne comptera que 4 présidents hors cinéma (Tennessee Williams, Françoise Sagan, Giorgio Strehler, William Styron) pour 22 professionnels du cinéma, soit 14 réalisateurs, et 8 comédiens. Ainsi change le monde. Beaucoup de précautions sont prises pour assurer la sérénité et la confidentialité des délibérations du Jury. Le dernier jour, pour établir le palmarès, les jurés sont emmenés dans un lieu tenu secret où ils déjeunent et d'où ils ne pourront sortir que pour se rendre à la cérémonie de clôture, afin d'éviter toute indiscrétion. Des radios ont tenté de briser ce secret en dissimulant des micros dans le lieu supposé des délibérations, mais jusqu'alors sans résultat. Les photographes sont évidemment tenus à l'écart. Cette photo (en haut) d'un Jury délibérant sous la présidence de Joseph Losey a été prise en 1972 par l'un des jurés, le cinéaste Milos Forman.

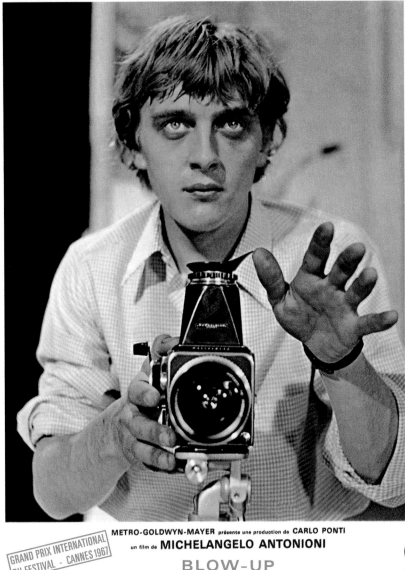

METRO-GOLDWYN-MAYER présente une production de **CARLO PONTI**
un film de **MICHELANGELO ANTONIONI**

GRAND PRIX INTERNATIONAL
DU FESTIVAL - CANNES 1967

BLOW-UP

En Metrocolor   avec **VANESSA REDGRAVE** . **DAVID HEMMINGS** et **SARAH MILES**

L'irruption de la Nouvelle Vague, les événements de Mai 1968, la mutation du cinéma mondial accélèrent la maturation du Festival. Toujours témoin de ces bouleversements, il en est parfois l'acteur. Des films naissent, des cinéastes s'expriment grâce au Festival qui atteint sa vraie dimension.

CHAPITRE III
LES CHEMINS DE LA LIBERTÉ (LES ANNÉES 1960 À 1980)

En 1960 avec *L'Avventura*, en 1967 avec *Blow-Up* (à gauche), Antonioni annonce une révolution du regard. D'autres cinéastes pensent à d'autres révolutions. Parmi eux, le Turc Yilmaz Güney, qui écrit *Yol* en prison, conseille par courrier Serif Giren pour la mise en scène, puis s'évade, s'exile en France en toute illégalité où il termine son film. En 1982, il vient chercher sa Palme d'or à Cannes (ci-contre), toléré par la police attentive à ne pas l'arrêter.

Le cinéma change, le Festival change

Cette mutation est encouragée par différents phénomènes hétérogènes mais convergents. Au niveau du Festival, par exemple, un débat s'est ouvert en 1952, avec le refus de sélectionner *Jeux interdits* de René Clément parce que trop morbide pour une « fête » du cinéma. Pour la première fois, on s'est demandé «qu'est-ce qu'un film de Festival?»

Ce débat s'étend en 1957, quand le Grand Prix va au beau film traditionnel de William Wyler *La Loi du Seigneur* plutôt qu'à des films plus originaux comme *Un condamné à mort s'est échappé* de Bresson, *Les Nuits de Cabiria* de Fellini, *Le Septième Sceau* de Bergman) ou *Kanal* de Wajda. Cinéma de recherche ou cinéma grand public, cinéma commercial ou cinéma d'auteur : la controverse qui agite à cette époque le monde du cinéma déboule sur le territoire du Festival et radicalise les positions.

Au niveau national, le cinéma, qui relevait du ministère de l'Industrie et du Commerce, est rattaché à partir de 1959, au ministère des Affaires culturelles

La Palme à Wyler (ci-dessus) pour *La Loi du Seigneur* ou à Bresson (en bas, à droite) pour *Un condamné à mort s'est échappé*? La controverse de 1957 sur la définition du «film de Festival»? est illustrée aussi par le tumulte et la passion déclenchés, en 1960, par *L'Avventura*, film de Michelangelo Antonioni. La projection du matin divise les journalistes entre partisans fanatiques et sceptiques. La soirée officielle est sifflée, puis désertée par un public déconcerté par des innovations qui annoncent le cinéma moderne. Chahuté et primé, Antonioni n'en restera pas là...

qui vient d'être créé. Une approche du cinéma différente s'impose, où les problèmes de création artistique et d'efficacité culturelle, sont pris en compte. Le cinéma français développe la recherche, l'innovation, les productions indépendantes, la promotion de nouveaux talents. Le Festival s'imprégnera de ces mêmes valeurs qui relèvent de sa vocation.

André Malraux, à Cannes en 1959, entre Michèle Morgan et Jeanne Moreau : c'est un grand honneur et une petite révolution. Le cinéma français et le Festival ne seront plus jamais comme avant.

Cette évolution de la politique générale du cinéma coïncide avec le surgissement, à partir de 1958, d'une nouvelle génération de cinéastes. La portée nationale et internationale de ce coup de jeune et les courants passionnels qu'il engendre dynamisent et enfièvrent la relation avec le cinéma. Celui-ci s'installe comme phénomène artistique et de société, et devient un élément notable du débat national. Le Festival se débarrassera d'autant mieux des frivolités mondaines et des escarmouches diplomatiques que, désormais, c'est la vie du cinéma comme forme de création qui a tendance à focaliser l'intérêt.

L'affaire des «Quatre Cents Coups»

L'onde de choc de la Nouvelle Vague se confond dans la légende du Festival de Cannes avec l'affaire des *Quatre Cents Coups*. Critique véhément, François Truffaut publie dans l'hebdomadaire *Arts* des articles polémiques contre le Festival. En 1958, il proclame qu'on vient d'assister au dernier Festival de Cannes. Mais en 1959, le Festival a bien lieu et il acclame le premier long métrage de François Truffaut *Les Quatre Cents Coups*, qui obtient le Prix de la Mise en scène. Le triomphe cannois du journaliste rebelle tient lieu de sacre de la Nouvelle Vague par le Festival de Cannes. Saint François avait terrassé le dragon. Le Festival avait pris un nouveau cours...

A distance, les choses reprennent leur place. Le succès des *Quatre Cents Coups* était celui d'un film, d'une sensibilité, d'un talent dont on percevrait mieux, d'année en année, à quel point ils faisaient corps avec l'institution «cinéma français». Le dragon avait tout autant avalé

Dès 1957, François Truffaut proclame dans la revue *Arts* : «Cannes 57 : un échec dominé par les combines, les compromis, les faux pas.» Conséquence : il n'est plus invité. En 1958, venu à Cannes aux frais du journal, il exécute le Festival tout aussi radicalement (ci-dessous). En 1959,

avec *Les Quatre Cents Coups*, Truffaut devient le roi de la fête. Tandis que Jean-Pierre Léaud épate tout le monde par son naturel (ci-contre, avec Rossellini), Jean Cocteau joue les anges gardiens (à droite, entre Jean-Pierre Léaud et François Truffaut).

saint François que l'inverse. Le Festival poursuivait à son rythme sa paisible mutation : c'est l'après-68 qui déclencha une accélération du processus, pas l'après-59. Le vent de jeunesse apporté par la Nouvelle Vague avait été effectivement à l'honneur pendant le Festival 1959, notamment à l'occasion de la rencontre de La Napoule, sorte de congrès spontané de la jeune génération disparate qui aspirait au pouvoir. Mais le phénomène authentique et central de la Nouvelle Vague, à savoir l'émergence d'un groupe de jeunes cinéastes entreprenants, talentueux, et cohérents dans leur démarche, reste occulté.

Ce renversement de situation aura une suite. François Truffaut revient à Cannes en 1962 comme juré, en 1964 avec *La Peau douce*, en 1973 hors compétition avec *La Nuit américaine*. En 1985, quelques mois après sa mort, le Festival présente en hommage le film de montage *Vivement Truffaut*.

Cannes, témoin mais pas moteur de la Nouvelle Vague

Dans un premier temps, seuls Truffaut et Resnais sont reconnus par Cannes (et, pour Resnais, non sans incidents de parcours). Mais le groupe originel comprend au moins quatre autres leaders – Jean-Luc Godard, Claude Chabrol, Jacques Rivette et Eric Rohmer –, et c'est par ces noms d'abord que s'identifie alors la Nouvelle Vague. Or il faut attendre 1966 pour voir à Cannes un film de Rivette (encore s'agissait-il de *La Religieuse*, sélectionné pour faire échec à l'interdiction dont il était l'objet). Attendre 1969 pour le premier film sélectionné de Rohmer (*Ma nuit chez Maud*), et plus étonnant encore, attendre 1978 pour que soit retenu un film de Chabrol (*Violette Nozière*), et 1980, soit vingt-deux ans après ses débuts, pour qu'apparaisse en compétition Jean-Luc Godard, avec *Sauve qui peut la vie* alors qu'il avait été primé deux fois à Venise dès ses débuts. Venise s'était convertie à la révolution esthétique de la Nouvelle Vague. Cannes n'en avait retenu que le renouvellement des générations. Ce dont témoigne la sélection des nouveaux cinéastes comme Jacques Demy, Costa Gavras, Papatakis, Albicoco, et la Palme d'or de Claude Lelouch en 1966. Le Festival de Cannes a été un témoin de la nouvelle vague. Il n'en a pas été un

accélérateur, ni un élément moteur. Même s'il a fait les «quatre cents coups» en 1959...

L'effervescence du cinéma est elle-même le reflet du changement de société. Le cinéma change parce que le monde change. Les années cinquante liquident les effets de la guerre sur les écrans comme dans la vie. Les années soixante bâtissent, développent, inventent. Nouveaux rythmes, nouvelles ressources, nouvelles tensions, nouveaux rêves, nouvelles mœurs : le cinéma observe cette mutation et

souvent l'anticipe. Le Festival retient les plus forts courants du cinéma et devient un précieux observatoire de l'évolution en cours : révolution économique, contestation des institutions, vague anticolonialiste, crise du communisme, etc.

Mai 1968, le Festival dans la tourmente

Le Festival miroir est si proche de l'événement qu'il est pris lui-même dans la tourmente. Manifestations et grèves de Mai-68, liées à un mouvement contestataire généralisé, se répercutent sur le Festival. Une minorité résolue de participants réclame l'arrêt de la manifestation. Beaucoup souhaitent que l'on renonce à la compétition officielle mais

Palme d'or en 1966 à vingt-huit ans, pour *Un homme et une femme*, Claude Lelouch (ci-dessus avec Sophia Loren et Pietro Germi) est le plus jeune lauréat du Festival. Jacques Rivette, la même année, porte la palme du martyr. Consultée deux fois, la Commission de censure a autorisé son film *La Religieuse*, mais Yvon Bourges, ministre de l'Information, prend sur lui de l'interdire. Le ministre de la Culture, André Malraux, approuve la sélection pour Cannes. Le film sera autorisé en 1967. A gauche : sous l'affiche du film, la vedette, Anna Karina, et le producteur Georges de Beauregard.

que les projections se poursuivent. C'est
dans cet esprit que des jurés, dont Louis
Malle et Roman Polanski, démissionnent
du Jury. Mais l'occupation du Palais et
les débats tumultueux qui s'y déroulent
font courir le risque d'une dégradation
incontrôlable de la situation.

Robert Favre Le Bret, qui arbitre avec
sang-froid, privilégie le long terme :
mieux vaut arrêter tout de suite pour
éviter l'éventuelle bavure qui mettrait
en cause l'avenir. Ainsi est-il fait.
Reste que, dans la chaleur des débats,
le fonctionnement du Festival a été
sérieusement mis en question et que
des réformes radicales ont été évoquées.
Quelle révolution attend, en 1969, le Festival?
Aucune. Tout au moins dans l'immédiat et de
manière visible. C'est la spécialité du Festival de
Cannes de digérer les obstacles comme les boas
absorbent les jaguars : en les déglutissant, lentement
et en s'en nourrissant longtemps.

L'explosion de Mai 68 a fait vaciller le Festival.
Mais elle lui a permis de témoigner d'une solidité
imprévue. Elle a été l'occasion, pour les représentants
des cinémas étrangers, un peu partout dans le monde,

Mai 68. Syndicats
et grévistes
de la région utilisent
l'impact médiatique
du Festival et
manifestent devant
le Palais (ci-dessus).
Par solidarité avec les
grévistes, le Festival
sera arrêté peu après
(à droite, l'affiche du
Festival avorté).

Le 18 mai, la seconde moitié du Festival s'ouvre par un chahut monstre dans la Grande Salle. Faut-il ou non poursuivre les projections? La lumière baisse et le rideau s'entrouvre. Carlos Saura et sa compagne Géraldine Chaplin se suspendent au rideau pour empêcher la projection de leur film *Peppermint frappé*. La séance est annulée. Les contestataires s'enferment dans la petite salle Jean-Cocteau où démarre un débat marathon mené par Claude Lelouch – perplexe –, Jean-Luc Godard et François Truffaut – déchaînés –, Louis Malle et Roman Polanski – jurés démissionnaires (de gauche à droite à la tribune, sur les deux photos).

de lui exprimer une fidélité et un attachement qu'on sous-estimait. La secousse subie se révèle féconde. Elle va accélérer l'évolution en cours.

Lutter contre les pesanteurs

La pesanteur essentielle dont il souffre découle du caractère officiel de la sélection : le Festival n'est pas maître de ses choix. Il doit accepter les films choisis par les autorités cinématographiques ou les associations de producteurs des pays invités. Certes, à force d'obstination et de diplomatie, le délégué général Robert Favre Le Bret s'est constitué un réseau de relations ouvertes à la discussion. Il peut décliner ici, suggérer ailleurs, négocier souvent et ne cesse d'élargir son espace de liberté. Le dispositif demeure ambigu et contraignant.

Or la production cinématographique est beaucoup plus éclatée que par le passé. La diversité croissante des budgets, des genres, des styles, l'apparition de générations nouvelles de cinéastes et de comédiens imposent des recherches plus larges pour aboutir à une sélection en phase avec l'évolution du cinéma. C'est surtout sur ce terrain, d'une sélection demeurée trop routinière, plus proche de la production traditionnelle que des innovations des cinéastes, que le Festival a été attaqué en 1968. Déjà, en 1962, l'Association de la Critique de cinéma, bien consciente du problème, avait créé une Semaine de la critique, présentant chaque année huit premiers ou seconds films. Il s'agit déjà de rechercher les nouveaux courants, les nouveaux auteurs, même si la Semaine, qui a le soutien du Festival, dément vouloir «en combler les lacunes ou présenter un salon des refusés».

Un contre-Festival

Mais en 1969, quand la SRF (Société des Réalisateurs de films), née des événements de 1968, décide de fonder, à Cannes, pendant le Festival, une Quinzaine

"**P**an dans l'œil!» Avec cette image du *Voyage dans la lune* de Méliès, le magicien, pour sigle de leur première Quinzaine, le message des réalisateurs est clair. Sur la liste des cinéastes qui viennent à Cannes pour la première fois en 1969, grâce à la Quinzaine, on trouve Bernardo Bertolucci, Gilles Carle, Roger Corman, Philippe Garrel, Nagisa Oshima, Bob Rafaelson, Hugo Santiago, André Téchiné. Un autre cinéma déferle.

ne des réalisateurs

des réalisateurs, c'est bien d'un contre-Festival qu'il s'agit où les cinéastes seront chez eux et où régnera la liberté de choix.

Loin de s'opposer à cette initiative, comme il en a les moyens, le Festival s'en accommode : il peut désormais brandir la «menace» que fait peser ce concurrent en liberté pour s'affranchir des contraintes d'un règlement désuet. Le Festival devient progressivement le maître de sa sélection. L'importance des nationalités (des films, des jurés, des lauréats) diminue. Si les passions et parfois les tensions restent vives, c'est de plus en plus autour du cinéma qu'elles se cristallisent.

Film symbole, film choc

Les années 1960-1970 sont des années de mutation aussi pour l'histoire du monde et cette histoire-là se retrouve sur le grand écran de Cannes. Cette période s'ouvre, royalement, en 1960, sur la Palme d'or à *La Dolce Vita* de F. Fellini, film symbole s'il en est de l'interrogation devant le changement de société, aujourd'hui film culte entouré d'un respect universel, mais pour l'époque film choc. Deux mois avant Cannes, il s'en est fallu d'une voix qu'il soit totalement interdit en France par la commission de censure. A Cannes, seule l'obstination forcenée de

En ne se consacrant, dès 1962, qu'aux premiers et seconds films, comme l'y oblige son règlement (en bas), la Semaine de la critique amorce un mouvement, depuis largement épanoui. La Caméra d'or qui sera créée en 1978 par le Festival au bénéfice d'un premier film, répond au même objectif. Le Festival consacre les maîtres, mais veut rester attentif aux jeunes talents qui émergent, aux nouveaux courants qui viennent enrichir et diversifier la planète Cinéma.

ciper à la "Semaine", les films (en 16 mm ou 35 mm) de-suivantes :

ond long métrage d'un metteur en scène,
senté en public plus de deux années avant la date de la

Georges Simenon, président du Jury, parvient à entraîner la décision de jurés réticents.

La même année, une vive querelle oppose spectateurs et critiques autour de *L'Avventura* d'Antonioni dont on comprit mieux plus tard quelle modification du regard, du récit et de la sensibilité il annonce. L'année suivante, d'une autre manière, le choc de *Viridiana* de Buñuel n'est pas moindre. En 1964, Visconti montre avec *Le Guépard* comment une classe sociale succède à une autre dans la Sicile du XIXᵉ siècle.

En 1965, 1967 et 1969, trois films complètement différents – *The Knack...* de Richard Lester, *Blow-Up* de Michelangelo Antonioni et *If* de Lyndsay Anderson – utilisent l'explosion britannique pour contester les mœurs, les institutions et le regard même que nous portons sur la réalité. C'est à la dérision que recourent Robert Altman (*MASH*, 1970) et Elio Petri (*La classe ouvrière va au paradis*, 1972) pour mettre en cause l'autorité du monde militaire ou syndical. *L'Affaire Mattei* (Francesco Rosi, 1972) et *Conversation secrète* (Francis F. Coppola, 1974) enquêtent sur des dossiers judiciaires et, sous le thriller, explorent le mensonge du corps social.

Sur la guerre d'indépendance algérienne, la guerre américaine au Viêt-nam (et ses conséquences), le pourrissement du socialisme en Pologne, les droits de l'homme au Chili et en Turquie, *Les Années de braise* (Lakhdar Hamina), *Apocalypse Now* (Coppola) *Taxi Driver* (Scorcese), *L'Homme de fer* (Wajda), *Missing* (Costa-Gavras), et *Yol* (Güney) portent des témoignages extraordinaires. Or ne sont cité là que des films ayant obtenu la Palme d'or à Cannes. Suivre honnêtement, sans complexe, le vent dominant qui soufflait sur le cinéma mondial valait au Festival un double bénéfice : présenter les meilleurs films du moment et suivre sur l'écran la marche du monde transfigurée par la vision poétique, prophétique, polémique ou ironique des meilleurs cinéastes.

Marcello Mastroianni et Anita Ekberg dans les eaux de la fontaine de Trévi vont former un si puissant symbole que c'est là que les Romains se rassembleront quand ils apprendront la mort de Fellini, puis plus tard, celle de Mastroianni. La «Dolce Vita» deviendra un terme usité dans beaucoup de langues et l'enseigne de multiples magasins. Les paparazzis en naîtront. Et tout un cinéma baroque qui aspirait à exister y trouvera son oxygène. Accusé d'avoir tourné un pamphlet pour (ou contre) les journalistes, les intellectuels, les aristocrates, le Vatican, Fellini n'avait rien fait d'autre que d'inventer le cinéma fellinien.

Avec «Andréi Roublev», le Festival brise les chaînes

Mais le Festival n'est pas seulement témoin. Il est aussi acteur, à son niveau, dans le grand tohu-bohu de ces années incandescentes. En 1969, les films sont particulièrement sensibles aux blessures du monde. Le principal événement est pourtant venu d'un film, présenté impromptu dans des conditions si particulières que même encore aujourd'hui près de trente ans plus tard, son titre ne figure dans aucun catalogue officiel des œuvres présentées à Cannes. Trois ans plus tôt, lors d'un voyage de prospection en URSS, Robert Favre Le Bret avait pu voir, inachevé, un film d'une étonnante beauté *Andréi Roublev*. On le lui avait promis dès qu'il serait terminé. Mais il fut vite évident que son réalisateur Andrei Tarkovski était empêché de le finir par les autorités soviétiques qui condamnaient (pour esthétisme, mysticisme, populisme) l'«idéologie» du film.

Fellini, qui n'aimait pas les cérémonies, a pourtant vécu une véritable histoire d'amour avec le Festival. Il eut dix films présentés à Cannes : *Les Nuits de Cabiria* en 1957, *La Dolce Vita* en 1960, *Boccace 70* en 1972, *Histoires extraordinaires* en 1968, *Roma* en 1972, *Amarcord* en 1974, *Prova d'orchestra* en 1979, *La Cité des femmes* en 1980, *Intervista* en 1987, *La Voce della Luna* en 1990.

PALME D'OR
DU
FESTIVAL
INTERNATIONAL
DU FILM
*
CANNES 1960

Bridé par le pouvoir, Andrzej Wajda abandonne le cinéma en 1956. Il réussit à tourner *Kanal*, sur l'insurrection de Varsovie, qui sera primé à Cannes. Sacré «cinéaste européen», Wajda va jouir d'une certaine liberté. En 1976, il tourne *L'Homme de marbre*, qui dénonce le mensonge du système politique. Parvenu jusqu'à Cannes et projeté à la séance du «film surprise», *L'Homme de marbre* acquiert une réputation mondiale. En 1980, à la demande des dockers grévistes de Gdansk, Wajda réalise *L'Homme de fer* (ci-contre, en haut), qui évoque la naissance de Solidarnosc au moment où ce syndicat entame la mutation politique de la Pologne Le film obtient la Palme d'or en 1981. *Chronique des années de braise* (1975) de Mohamed Lakhdar Hamina raconte la vie du peuple algérien de la conquête à la guerre d'Algérie. Sujet délicat, dont la victoire à Cannes témoigne de l'attachement du Festival à la liberté d'expression (page de gauche et ci-contre, une image du film et Lakhdar Hamina avec son diplôme).

En 1969, Favre Le Bret réussit à en obtenir une copie et, sinon une autorisation de le projeter discrètement, au moins l'assurance que Moscou n'en ferait pas une montagne.

La stupeur et l'enthousiasme engendrés par *Andréi Roublev* ne sont pas sans conséquence. Ils valent à Andrei Tarkovski des conditions de travail améliorées. Deux de ses films suivants *Solaris* et *Stalker*, qui recourent à la science-fiction pour développer un message spiritualiste, seront également présentés avec succès à Cannes, ouvrant les frontières à Tarkovski qui terminera sa vie et son œuvre en France, en Italie et en Suède.

Cannes et la bataille pour la liberté d'expression des cinéastes

Des cinéastes hongrois comme Jancso ou Szabo, polonais comme Wajda, russe comme Mikhalkov Kontchalovski voient leurs possibilités (ou leur liberté) de travail améliorées par le statut international qu'ils conquièrent

Le Malien Souleymane Cissé (ci-dessous, en 1986) a eu ses trois derniers longs métrages présentés à Cannes : *Le Vent* en 1982, *La Lumière*, Prix du Jury en 1986, et *Le Temps* en 1995. Les neuf années qui séparent ces deux derniers témoignent des difficultés de la production en Afrique. Pourtant, grâce à Cannes, Cissé avait l'appui d'Arte, de Canal Plus, de l'Union européenne, du Centre français du Cinéma, des producteurs Toscan du Plantier et Claude Berri et du Tunisien Tarak Ben Amar. Autre figure redevable à Cannes, le cinéaste indien Satyajit Ray discutant avec John Boorman, Billy Wilder et Antonioni (en haut, à gauche).

à Cannes. Tout comme les Espagnols Saura, Bardem, Berlangua peuvent plus aisément se défendre contre la censure franquiste grâce à l'aura de leurs sélections. Nombreux sont les cinéastes des «petits pays» cinématographiques ou du tiers monde qui tireront de leur sélection à Cannes (éventuellement de leurs récompenses) un statut privilégié qui leur permettra de développer leur œuvre en dépit des restrictions économiques, techniques, culturelles de la région, du continent où ils exercent.

Les cinéastes Ousmane Sembene pour le Sénégal, Idrissa Ouedraogo pour le Burkina-Faso, Souleymane Cissé pour le Mali ont gagné leur *leadership* africain par leurs mérites propres, mais n'ont vu ceux-ci reconnus que grâce à l'amplificateur que constitue le Festival de Cannes. De même, la consécration internationale considérable de l'Indien Satyajit Ray (primé dès 1956 pour *Pather Panchali*) ou de l'Egyptien Youssef Chahine (sélectionné dès 1952 pour *Un fils du Nil* et en 1954 pour *Ciel d'enfer*) prend-elle racine dans l'onde de choc engendrée par le Festival de Cannes. Les grands moments du cinéma d'Amérique du Sud ont aussi trouvé à Cannes un écho qui venait en retour percuter les pays d'origine. Cette bataille pour la liberté d'expression des cinéastes menée avec constance constitue l'un des titres les plus glorieux du Festival de Cannes.

Andréi Tarkovski (ci-dessus), avec *Andréi Roublev*, révèle ce que le monde découvrira bien plus tard : la survivance, sous la réalité soviétique, d'une Russie éternelle. Il a alors pour ami et collaborateur le cinéaste Andrei Kontchalovski. Les deux hommes se brouilleront par la suite à cause de leur différence d'attitude vis-à-vis du pouvoir. Leur dernière rencontre, à la fois nostalgique et amère, a lieu au Festival, dans la coulisse de la soirée de clôture en 1983, où Kontchalovski doit remettre la Caméra d'or et Tarkovski recevoir un prix pour *Nostalghia*. En 1986, c'est le fils d'Andrei Tarkovski qui vient retirer le Grand Prix spécial attribué au *Sacrifice*. Atteint d'un cancer du poumon, Tarkovski devait mourir à Paris en décembre de la même année.

Nouveau palais, nouvelle équipe dirigeante : le Festival évolue au fur et à mesure qu'il grandit, et que le monde change. Nouvelles générations, nouveaux pays, nouvelles techniques, nouveaux regards : le Festival diversifie ses approches. Il est devenu la plus grande manifestation cinématographique du monde. La fête continue, mais c'est celle du cinéma tout entier.

CHAPITRE IV
LA FÊTE DU TOUT-CINÉMA (LES ANNÉES 1980-1990)

Isabelle Adjani (à gauche, de dos en 1993) remporte le Prix d'Interprétation pour *Quartet* et *Possession* en 1981. Elle reviendra en 1985 (*L'Eté meurtrier*), en 1993 (*Toxic Affair*) et présidera le Jury en 1997.

Du cinéma des nations au cinéma sans frontières, du Festival des diplomates au Festival des cinéastes, des batailles de fleurs aux rencontres «Cinéma et Liberté», le Festival de Cannes a bien changé depuis 1946. Cette mutation va prendre encore d'autres visages. Marquée par deux événements : le changement d'hommes, le changement de lieu.

Pierre Viot, Gilles Jacob, François Erlenbach : une équipe nouvelle pour le Festival

De 1972 à 1978, Robert Favre Le Bret, devenu président, reçoit l'aide d'un délégué général Maurice Bessy, grande figure du journalisme cinématographique depuis les années trente. Il va créer, en dehors de la sélection officielle, des sections spécialisées hors compétition (Les Yeux fertiles, Passé composé, L'Air du temps) qui diversifient la programmation de Cannes et répondent à l'éclatement de la production. Maurice Bessy s'adjoint un plus jeune critique familier des courants modernes, Gilles Jacob, qui le remplacera en 1978. En 1980, Michel Bonnet est nommé secrétaire

général, pour répondre à l'alourdissement de l'administration et de la gestion d'une manifestation en pleine croissance. Malade (il mourra peu après), il sera remplacé en 1991 par François Erlenbach.

Entre-temps, en 1984, après plus de trente ans de règne, Robert Favre Le Bret cède la présidence à Pierre Viot, magistrat à la Cour des comptes, un grand commis de l'Etat qui eut, entre autres charges, celle de directeur du Centre national du Cinéma, dont il connaît tous les détours. Voici formée la nouvelle équipe dont la politique va permettre le nouveau développement du Festival.

Du Palais de la Croisette au Palais des Congrès

Le Palais de la Croisette est devenu trop petit. En 1983, le Festival se voit offrir le Palais des Congrès,

L'annonce du programme du Festival en 1987. De gauche à droite, le président Pierre Viot, le délégué général Gilles Jacob et le secrétaire général Michel Bonnet. A gauche, François Erlenbach, secrétaire général à partir de 1991.

monstre de béton édifié à grands frais par la municipalité et conçu, non pour ses besoins spécifiques, mais pour servir toute l'année à des manifestations en tous genres. C'est dans la désolation qu'on abandonne le bon vieux Palais de la Croisette, chargé de glorieux souvenirs pour rallier l'énorme «blockhaus», inhumain, peu adapté au cinéma, avec son système de circulation compliqué.

La révolte gronde. André Antoine lui-même, saint

Cinéphile (carte n° 24 du Ciné-Club universitaire), G. Jacob crée en Khâgne la revue *Raccords* (118 abonnés), publie *Le Cinéma moderne*, devient le critique cinéma de *L'Express*, avant de prendre en mains l'ère nouvelle du Festival.

Dénoncé pour sa froideur, le nouveau Palais va se modifier par petites touches pour devenir plus efficace et plus aimable. Bel exemple de cette chirurgie esthétique : cette fresque (ci-dessous) de Guy Pellaert qui associe au fronton du Palais Buñuel, Kurosawa, Welles, Eastwood, Truffaut, Woody Allen et autres figures emblématiques du Festival.

et martyr du Festival qui, depuis trente-sept ans, organise toutes les projections, part en claquant la porte. Il reviendra. Et tout le monde, année après année, se coulera dans un édifice dépourvu de séduction mais qui va s'adapter à sa fonction et s'avérer l'instrument efficace dont a besoin le Festival au moment où ses activités se multiplient aussi vite que le nombre de ses participants. Nouvelle équipe et nouvel instrument associés accentuent le passage de l'artisanat au professionnalisme.

Craintes et nostalgies

Le Festival va-t-il, dans cette surdimension où le succès le porte, perdre son âme? Un vent de feuilles mortes et de nostalgie, chargé de souvenirs et de regrets aussi, s'engouffre dans les vastes espaces du «bunker», évoquant le bon temps d'un Festival champagne avec ses grands films classiques et ses batailles de fleurs. Qu'il paraît lointain, ce paradis perdu, dans la foule qui se presse aujourd'hui, avec ses cartes magnétiques et ses accréditations infalsifiables, vers ces projections multiples d'un cinéma éclaté où surgissent sans cesse des noms, des pays, des genres nouveaux, du cinéma émietté d'un monde en train de larguer son système de valeurs. Ce monde de bruit et de fureur, où l'air du temps éprouve et modifie si radicalement la sensibilité humaine, comme en témoignent *La Leçon de piano*,

Adieu ma concubine, Pulp Fiction, Underground, Secrets et Mensonges, précieux films témoins qui se trouvent justement être les Palmes d'or des années 1993 à 1996.

Pour maintenir et renforcer la dimension et le prestige de la manifestation sans en trahir l'esprit, le Festival doit réagir. Son système de défense (ou d'offensive, selon les cas) s'appuie sur la diversification, une stratégie des médias et une politique du programme.

Forteresse de ciment, monstre de technologie avancée, le nouveau Palais (à gauche et ci-dessous) ne vole pas en 1983 son surnom de «bunker».

46ᵉ FESTIVAL INTERNATIONAL DU FILM CANNES 1993 • 10 AU 24 MAI

Cannes conjugue toutes les formes de célébrations du cinéma : fête de la mémoire, exploration de l'avenir, festival de la connaissance…

En 1946, le premier Festival présente 42 longs métrages supposés représenter le meilleur de la production mondiale du moment. L'honneur et le bonheur, c'est d'être choisi. Les prix, ensuite, c'est la cerise sur le gâteau. On les distribue d'ailleurs largement : 24 prix pour 42 films… En 1996, le Festival attribue 8 prix aux 21 longs métrages présentés en compétition. Trente autres ont été présentés hors

Panthéon transitoire, le Festival organise l'hommage du cinéma reconnaissant à ses noms illustres, célèbre les glorieuses carrières (à droite, Ch. Chaplin en 1971), remémore les disparus (ici, l'hommage à Jacques Demy en 1991 avec, de gauche à droite, M. Legrand, D. Sanda, J. Perrin, M. Presle, D. Delorme).

compétition, dans la sélection officielle. Les manifestations parallèles (Quinzaine des réalisateurs, Semaine de la critique, Cinémas de France) en ont présenté 31, et le Marché du film 436. Soit 518 films projetés en douze jours... Mais la sélection officielle, la compétition, la lutte pour les prix, et plus spécialement pour la Palme d'or, demeurent le noyau radioactif d'où se propagent les ondes de passion. Et les activités les plus diverses.

Fête de la mémoire, le Festival honore de grandes figures historiques en visite : Mack Sennett, Buster Keaton ou Charlie Chaplin décoré et ovationné lors d'une émouvante apparition. Les grands disparus du cinéma sont toujours salués avec émotion : réunion de la famille pour Chaplin, des interprètes pour Truffaut, film de montage pour Demy, rideau de scène pour Fellini, fresque au fronton du Palais pour Clément, exposition pour Ford, Renoir ou Malle.

Cannes, c'est l'exploration de l'avenir et la recherche des nouveaux talents, obstinément poursuivies par les sélectionneurs, qui permettent de décerner chaque année la Caméra d'or (créée par Gilles Jacob en 1978) au meilleur premier film présenté à Cannes, toutes sections confondues.

C'est aussi un instrument de connaissance et de pédagogie avec les rétrospectives organisées chaque année autour d'un cinéaste (John Ford, Jean Renoir, Robert Altman, Dino Risi, Blake Edwards pour ces dernières années), d'un pays, d'un genre ou d'un thème (France contemporaine, cinéma nordique, cinéma d'animation, etc.). A quoi il faut ajouter les «Leçons de cinéma» données régulièrement depuis 1991 par un grand du cinéma : F. Rosi, B. Tavernier, W. Wenders, V. Schlöndorff, A. Delvaux ou encore A. Kontchalovski.

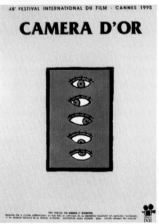

48ᵉ FESTIVAL INTERNATIONAL DU FILM · CANNES 1995

CAMERA D'OR

Désignés, par un jury spécial, parmi les premiers films, les lauréats de la Caméra d'or (ici, le programme 1995) amorcent une carrière qui parfois les ramène à Cannes, en compétition, et même, au palmarès officiel. Ainsi, le Belge Jaco Van Dormel, Caméra d'or pour *Toto le héros* en 1991, et deux fois présent au palmarès de 1996 pour *Le Huitième Jour*.

... foire du film et cour d'amour

Apparus spontanément dans les coulisses du Festival, l'achat et la vente de films ont engendré un marché, officieux d'abord, officialisé depuis 1959. Proclamé souvent en crise, il reste pourtant le premier marché de films de cinéma au monde, et a démontré en 1996, avec plus de 400 films et près de 800 projections, son dynamisme dans le négoce.

Cannes, cour d'amour : l'expression est bien moyenâgeuse pour une manifestation aussi marquée par la modernité. Pourtant, si l'on n'y discute pas de galanterie, on y exerce toutes les formes de cet amour de notre temps nommé cinéphilie. On n'en parle guère, mais, c'est peut être cela, d'abord, le Festival de Cannes : un lieu de passions. Passions du cinéma qui peuvent être bien différentes chez le vieil opérateur fier de sa maîtrise, chez le jeune réalisateur et la jeune comédienne qui traquent les nouvelles formes de sensibilité, chez les cinéphages de la critique, de la presse ou de la population estudiantine, chez le bon public qui se bouscule pour apercevoir

Tom Cruise, Clint Eastwood ou Josiane Balasko. Malgré ces différences, Cannes leur appartient, eux qui, s'ils ne révèrent pas le même saint, sont réunis par le même culte des magies cinématographiques.

Cannes et les médias : stratégie, gestion, organisation

Dès 1946, la presse est à Cannes. En petit nombre. Mais active. On compte 800 journalistes accrédités en 1970, 2 000 en 1980, 2 500 en 1990. Le Festival de 1996 a délivré 3 867

A Cannes, on n'a pas chassé les marchands du temple (à gauche, le Marché du film en 1993), car le cinéma y demeure art et industrie. Mais la cinéphilie gagne du terrain sur la mondanité. Sous le nom de Forum, un type spécial d'accréditation permet l'intégration d'une nouvelle catégorie de participants, venus des ciné-clubs et des classes de cinéma des lycées et universités. Cette vague de cinéphiles est le facteur principal de la montée de la fréquentation des salles ces dernières années.

accréditations presse dont 700 destinées à des techniciens de radio et de télévision. Soit environ 3 200 journalistes (dont 2 000 étrangers), comptant 350 photographes, 1 500 journalistes de presse écrite et 1 300 de télévision et de radio. Représentant environ

Le «photo-call» du matin, et la montée des marches (au centre, l'accès au Palais) rythment le face-à-face des vedettes avec les flashes.

La société «Festival» n'est ni unifiée, ni égalitaire, mais sectorisée par type d'activités. Obtenir une accréditation constitue l'épreuve initiatique du parcours. Il reste à mener le bon combat pour avoir une carte plus ou moins permanente d'accès au Palais et des cartons d'invitation pour chaque séance. Leur couleur décide de votre place dans la hiérarchie festivalière, selon que vous aurez accès à l'orchestre ou au balcon de la Grande Salle ou bien aux séances du soir. Ci-dessous, une carte de presse; page de droite, voiture officielle.

ENTREES ACCREDITATIONS

DANS LA LIMITE DES PLACES DISPONIBLES

170 chaînes de télévision, 200 radios, 75 agences et 1 200 publications. L'importance de ces chiffres fait – en termes médiatiques – du Festival de Cannes le numéro 2 des événements mondiaux, après les jeux Olympiques. C'est là à la fois un capital à gérer et un instrument à maîtriser, le tout dans un climat de convivialité permanente.

Un domaine comme le cinéma, qui n'a que du vent à vendre (c'est-à-dire des images, des histoires, des mythes), est plus que d'autres dépendant de la communication. Il en est naturellement de même pour le Festival. C'est dire l'attention dont sont l'objet à Cannes les journalistes des différents types de médias, l'organisation des projections où ils sont prioritaires, l'importance des conférences de presse, du système de casiers de presse où chacun peut trouver, avec sa carte magnétique personnalisée, les kilos de documentation distribués. Les installations aménagées pour

49e FESTIVAL INTERNATIONAL DU FILM **96**

Pierre BILLARD
LE POINT FRANCE
Casier : 0028

Valable pour toutes séances sauf Soirée et séances spéciales

PRESSE

accueillir les télévisions et les radios étrangères, le système très élaboré qui permet aux 350 photographes accrédités de suivre l'essentiel des manifestations sans en perturber le déroulement, le central de télécommunications qui permet la transmission continue des textes et images en noir et blanc et en couleurs témoignent de l'attention portée à cette dimension.

Le Festival participe à l'information des participants en publiant un journal quotidien (trois autres quotidiens du Festival sont publiés à Cannes par des journaux corporatifs, français, anglais et américain), en intervenant régulièrement sur la radio locale et en diffusant des programmes spécifiques (notamment les conférences de presse et des interviews de personnalités) 18 heures par jour sur sa chaîne TV Festival et, depuis 1995, le Festival dispose d'un site officiel sur Internet.

Les dangers d'une télévision à la fois agent de production et de promotion

Reste à gérer le capital d'images amassé par le Festival sans être dévoré par l'ogre Communication. Le péril s'appelle surtout Télévision. Le Festival était destiné à rencontrer la télévision, de plus en plus présente dans la diffusion, puis dans la production des films. Un jour la question devait se poser de l'extension du territoire du Festival du cinéma vers la télévision. Il ne fallut qu'une très brève valse-hésitation pour réaliser que ce gain hypothétique (domaine plus vaste) serait payé d'une lourde perte d'identité et de spécificité. Ainsi le Festival s'arrime-t-il au film de cinéma proprement dit.

Après la première projection de presse, la conférence de presse constitue la seconde épreuve de vérité. Le nombre de présents, la qualité et la tonalité des questions annoncent l'accueil probable de la critique. Page de gauche, en haut, Coppola (debout à gauche) à la conférence de presse d'*Apocalypse Now* en 1979. Ci-dessous, en 1996, l'équipe de *Crash* à la tribune. (David Cronenberg est le quatrième en partant de la gauche).

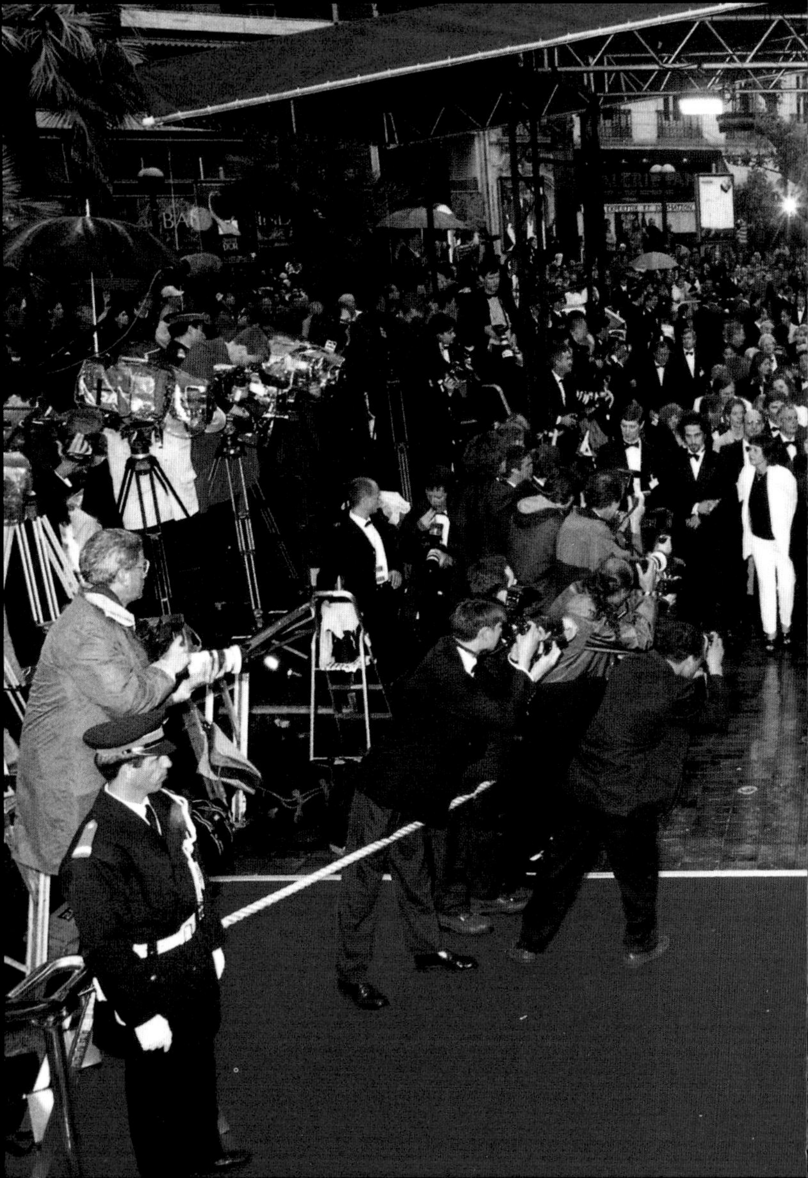

Rendez-vous avec les flashes

Pour que le Festival se déroule dans le calme, un service photo (dirigé par Georges Guignard, un ancien de chez Disney) canalise le typhon des 400 photographes, qui tous veulent la même image au même moment. Il obtient une certaine discipline, fait admettre qu'en lieu clos (comme dans les salles de projection) seul un groupe de 35 photographes soient admis, désignés par concertation et tirage au sort. Il organise l'installation et la circulation permettant aux photographes de suivre montée et descente des marches (120 en bas des marches et 10 en haut) : page précédente, brève interruption des entrées pour laisser les photographes mitrailler les invités de marque. C'est également le service photo qui aménage, sur une terrasse du troisième étage du Palais, un espace face à la mer, avec praticable et voile filtrant la lumière, où comparaissent tous les matins, pendant dix minutes chacune, les vedettes de la journée devant 140 photographes pour le rituel du «photo-call» (ci-contre, en 1996, Al Pacino, réalisateur et interprète de *Looking for Richard*).

Ce qui ne l'empêche nullement de sélectionner des films produits ou coproduits par la télévision. Deux d'entre eux, *Padre Padrone* des frères Taviani et *L'Arbre aux sabots* d'Ermanno Olmi, obtiendront même une Palme d'or en 1977 et 1978, sans que soit remise en cause pour autant la frontière cinéma-télévision.

La relation du Festival avec la télévision moyen d'information et agent de promotion pose un problème plus complexe. Besoin de notoriété du Festival, interpénétration du cinéma et de la télévision : il était naturel que la télévision s'intéresse au Festival. N'était-il pas, à sa manière, un show, un gala permanent où les vedettes sont dans la rue. Les télévisions sont bientôt si présentes que leurs caméras traînent dans tous les couloirs d'hôtel et que la Croisette se transforme en un vaste studio. Les rites grand public du Festival tels que la montée des marches du Palais risquent de se transformer en feuilleton télévisé. Déjà la retransmission télévisée de quelques événements de base comme la cérémonie d'ouverture ou la proclamation du palmarès introduit les hommes, les procédés, le style petit écran et tire le Festival

La télévision a tout envahi à Cannes : halls des hôtels, restaurants des plages et ponts des bateaux alignés dans le port. En effet, un grand nombre d'heures de programme sont diffusées à partir de Cannes, où Patrick Poivre d'Arvor installe son journal télévisé, Bernard Pivot son «Bouillon de Culture». «Nulle Part Ailleurs», diffusé en direct depuis la plage du Martinez, constitue une attraction quotidienne très suivie. Ci-dessous, P. Gildas et J.-L. Godard sur le *Maxime des mers* pour Canal Plus. A droite, en haut, Madonna et, en bas, l'accueil enthousiaste de ses fans en 1991.

vers l'émission de variétés. Le Festival, poussé par son partenaire, va-t-il se complaire dans son autocélébration? Le danger est singulièrement perçu en 1987, à l'occasion d'un 40e anniversaire plus fêté que les films présentés. De même en 1991, le délire médiatique entraîné par la venue de Madonna pour la présentation (discutée) du film *In Bed With Madonna* vient-il renforcer les craintes d'un débordement du Festival hors de sa nature et de ses missions.

Des mesures de régulation sont prises, un nouveau partenaire (Canal Plus) choisi pour les retransmissions d'événements dont le Festival garde le contrôle. Et la doctrine réaffirmée avec force que le Festival n'est rien d'autre qu'une célébration du cinéma, dont le cinéma est la seule vedette.

Une politique du programme

Mettre en œuvre cette doctrine, c'est l'objectif de la politique des programmes. Un Festival tout cinéma, et toutes émotions, soit. Reste qu'au cœur du dispositif, la Palme d'or est toujours debout, convoitée,

épiée, matrice de curiosité et de désir.
C'est autour d'elle et de la sélection
officielle que tourne la galaxie Festival.
C'est là que réside d'abord l'obligation
de réussite. Exercice délicat, compliqué
par la disparition ou la retraite de quelques
grands monstres repères (Welles, Fellini,
Buñuel, Losey, Malle, De Sica, Visconti,
Wyler, Clouzot, Demy pour s'en tenir
aux détenteurs des Palmes d'or), et rendu
aléatoire par les variations de l'atlas
cinématographique (crise des grands pays
traditionnels quand surgissent l'Australie,
la Corée, la Chine, l'Iran).

Repérer, visionner, trier

C'est dans ce contexte mondial chahuté
que Gilles Jacob, grand capitaine de cette
navigation, fixe ses choix. Avec une bonne
boussole et de solides filets. Le filet c'est le
réseau de correspondants et de procédures
qui permet de repérer, ausculter, susciter,
trier, négocier les candidatures. Entouré
d'assistants ou de conseillers, Gilles
Jacob a l'œil simultanément sur tel film
ambitieux, prometteur, dont le projet est
à l'étude et qui pourrait faire l'ouverture
du Festival dans deux ans, et sur la cassette
vidéo reçue par la poste quinze jours avant
le Festival d'un film qui, retenu *in extremis*
pour Un Certain Regard, vaudra à son

réalisateur la Caméra d'or (1990 : *Bouge pas, meurs et ressuscite* de Vitali Kanevski).
Il s'agit certes de beaucoup visionner (731 films pour le Festival de 1996, dont 428 longs métrages), à Paris ou dans les pays producteurs à l'occasion des visites du sélectionneur ou de ses assistants.

Le Russe Vitali Kanevski voit son premier film invité à Cannes. Il y débarque dans un grand état d'égarement, ignorant tout de cette manifestation, erre sur la Croisette, se lie avec des marins suédois qui l'emmènent faire la fête sur leur bateau en rade et le ramènent à l'aube sur la plage. C'est là qu'une ronde de police découvre ce vagabond qui prétend être un participant du Festival.

Mais le cinéma est une activité saisonnière. Et le Festival s'est fait une obligation de se consacrer de plus en plus à des premières mondiales de films. Il faut donc saisir ceux-ci dans la brève période qui sépare leur finition de leur mise sur le marché. Pendant les six mois où s'opère la sélection, la plupart des films qui seront retenus sont en

A tout hasard, on vérifie… et Kanevski est conduit au palace où sa chambre l'attend. Quelques jours plus tard, il obtient la Caméra d'or (ci-dessus). Grâce à cela, il peut tourner *Une vie indépendante* et revenir, cette fois en compétition en 1992. Au centre, la batterie de bobines de *Kansas City*. Page de gauche, Gilles Jacob pendant la répétition d'une séance d'ouverture.

tournage. Souvent, il faudra les visionner avant finition et se décider instantanément tant la concurrence entre les Festivals est devenue agressive. C'est l'occasion de donner une première impression et quelques avis aux réalisateurs. Avis qui portent le plus souvent sur la durée. C'est qu'à Cannes, la dimension de la grande salle, et le rythme intense des projections, rendent le public hypersensibilisé aux longueurs. On se souvient de *Cinema Paradiso* qui connut une carrière catastrophique en Italie en 1988. Raccourci d'une demi-heure par son réalisateur Giuseppe Tornatore, le film remporta le Grand Prix du Jury à Cannes en 1989 avant d'entamer une carrière triomphale…

Sélectionner, ce n'est pas seulement visionner et dire oui ou non. De plus en plus, la négociation prend davantage de temps que le visionnage. Il faut se battre avec le temps, anticiper sur la production, discuter sans cesse avec les interlocuteurs nécessaires, producteurs, réalisateurs, vedettes, agents, pour bien connaître ce qui se prépare, bien faire connaître ce qu'on espère. Ce dialogue avec le cinéma international s'appuie sur le réseau informel basé sur l'estime réciproque que se portent tous ceux qui doivent à Cannes un succès, un prestige, ou tout simplement des émotions inoubliables et qui, de Clint Eastwood, Martin Scorcese, Francis F. Coppola, Robert Altman, au Chinois Chen Kaige, à l'Iranien Kiarostami, à l'Australienne Jane Campion, au Japonais Nagisa Oshima, en passant par Nanni Moretti, Volker Schlöndorff, Mike Leigh, Ettore Scola et mille autres, ont contracté une dette vis-à-vis du Festival de Cannes, et ne manquent pas d'occasions de s'en acquitter. Il faut bien cette sainte alliance pour résoudre l'équation à inconnues multiples d'une

Coppola, président du Jury en 1996, avait déjà été prévu pour présider celui de 1989. Au dernier moment, un empêchement majeur survint. Difficile de faire accepter à une figure prestigieuse de jouer les remplaçants! Un appel à Wim Wenders (à gauche), et le problème est réglé.

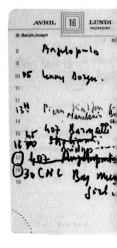

Dans des circonstances comparables, en 1988, Nastassja Kinski avait remplacé Isabella Rossellini. Ainsi marche le «réseau» Festival de Cannes où se retrouvent des cinéastes comme Jane Campion, Palme d'or du court métrage en 1980 et Palme d'or avec *La Leçon de piano* en 1993. Ou Nanni Moretti (à droite), retenu pour son premier film en 1978, et Prix de la Mise en scène en 1994.

sélection. S'il ne s'agissait que de trouver de bons ou de très bons films, cela ne serait déjà pas simple. Mais il faut aussi courir après les films qui «font des manières» en se débarrassant de ceux qui cherchent à s'imposer. Il faut veiller à un éventail assez large de nations représentées, non plus par diplomatie, mais pour répondre à une curiosité légitime, s'obliger à inclure des films interprétés par des vedettes de grande notoriété dont la présence rehaussera la manifestation, éviter les effets

L'agenda du délégué général (ci-contre) rend compte de la chasse aux films et de l'importance des rencontres : 731 films visionnés pour le Festival 1996 dont 428 longs métrages. Ci-dessous, sur le carnet de Gilles Jacob de 1981, la répartition des temps forts du Festival.

cumulatifs de certains thèmes d'actualité ou à la mode (la drogue, le chômage, le sexe, la crise de l'adolescence…) dont la proximité perturberait la perception de chacun des films concernés, vérifier que la sélection comporte au moins un ou deux sourires, bref tenir compte de toutes les recettes d'un bon scénariste pour mener à bon port l'intrigue du Festival.

EVENEMENTS

- OUVERTURE : EMOTION
- FORTE SELECTION ITALIENNE
- RENOUVEAU CINEMA BRITANNIQUE
- L'AFFAIRE CIMINO
- IMAGES CINEMA CHINOIS
- JOURNEE NOIR ET BLANC
- HOMMAGE A BUNUEL
  VANEL
  CLAIR
- FILMS INTERDITS : L'âge d'or
  HUSTON
- LE RIRE A CANNES

Les films de Festival : «des films d'auteur intelligents et populaires»?

Reste, pour tenir le cap, à disposer de la boussole de quelques principes. Le rêve secret du Festival est évidemment de réunifier les deux frères ennemis, d'encourager le cinéma d'auteur à rester accessible à un public assez large et le cinéma de divertissement à ne pas s'encroûter dans les vieilles recettes. C'est cette quadrature du cercle qu'exprime la formule «des films d'auteur intelligents et populaires» supposée caractériser l'esprit de la sélection.

Bien des professionnels trouvent que le Festival mesure trop chichement la place des grands films populaires. On le vérifie en constatant que sur les soixante films qui ont obtenu les meilleurs résultats d'exploitation depuis 1960, quatre seulement ont été présentés à Cannes : *Ben Hur*, *Le Docteur Jivago*, *E.T.* et *Le Grand Bleu*. Mais les responsabilités de cette situation sont partagées. Sur ces quatre films, par exemple, trois ne viendraient plus à Cannes aujourd'hui. La stratégie des majors américaines les a dissuadées d'envoyer désormais au Festival leurs énormes productions têtes d'affiche. C'est la survie d'un cinéma indépendant créatif qui permet au cinéma américain d'être présent à Cannes. De même, en France, les grosses productions redoutent à Cannes un climat jugé peu propice.

Un Festival international marqué par l'esprit français du cinéma

Rassembler à nouveau tout le monde, après les schismes qui ont

La France est le seul pays qui dise au monde : «On peut faire des films autrement qu'à Hollywood et survivre.» Cannes illustre à merveille ce face-à-face France/Etats-Unis. Ici, Daniel

Toscan du Plantier, président d'Unifrance Film, avec Jack Nicholson. Ci-dessous, Jack Lang, alors ministre de la Culture, en discussion avec Jack Valenti, représentant des majors US.

sérieusement secoué le cinéma français des années 1960, demande une longue patience. Car, ne l'oublions pas, aussi internationaliste que l'on soit au Festival de Cannes, Cannes est en France. Le Festival met en vitrine le cinéma dans un pays où le cinéma est devenu l'objet d'une politique et d'un débat national. Un pays qui propose un modèle d'organisation du cinéma faisant place à une large intervention de l'Etat. Le Festival de Cannes n'est en rien l'instrument de cette situation. Mais, immergé dans ce contexte, il est naturellement solidaire d'une politique qui favorise la création. On ne peut donc que retrouver dans les orientations de programmation du Festival l'objectif de la politique française d'aider à la survie économique du cinéma en l'incitant à des ambitions élevées. Accessoirement, le Festival de Cannes ne néglige pas l'opportunité de défendre l'«exception française». Ce serait trop bête de disposer de la première rampe de lancement du monde et de ne pas s'en servir…

Les dernières Palmes d'or – *La Leçon de piano*, *Pulp Fiction*, *Secrets et Mensonges* – ont figuré parmi les succès de leur année de sortie. En 1996, de nombreux films présentés à Cannes obtiendront un excellent accueil du public comme *Breaking the Waves*, *Ridicule*, *Le Huitième Jour*, *Microcosmos* ou *Les Voleurs*. C'est aussi le cas, en 1995, du Prix de la Mise en scène *La Haine* (ci-dessus, son réalisateur Mathieu Kassowitz).

Au fil des années, le Festival s'est constitué en rituel. Tenue de soirée, montée des marches, messes basses ou solennelles des projections, confessions publiques constituent les principales étapes de cette célébration. A la fois empereur des rêves et média assiégé, le cinéma défend sa fonction mythologique.

CHAPITRE V
LA CÉRÉMONIE

La Palme d'or symbolise le Festival. Il n'en fut pas toujours ainsi. Elle apparaît en 1955 à la place du Grand Prix. Une palme, par référence aux armoiries de la ville et à ses palmiers. Elle n'a pas été dessinée par Cocteau, comme le veut la légende, mais par le joaillier Suzanne Lazon. Au bout de dix ans, le conseil d'administration revient au Grand Prix. Il faudra attendre encore dix ans pour que la Palme soit restaurée. A gauche, Steven Soderberg reçoit la Palme en 1989, pour *Sexe, mensonges et vidéo*.

«Smoking-No smoking»

Au prix d'un jeu de mots, le film d'Alain Resnais résume en un titre un débat cannois de près de cinquante ans. Au commencement était le smoking. Les séances n'avaient-elles pas lieu au Casino, où la tenue de soirée était de rigueur... Cette tradition s'exporte jusqu'au Palais de la Croisette, confortée par le climat d'élégance et de mondanités qui règne alors.

Mais elle est bientôt contestée. Par les célébrités et les snobs d'abord, rebelles par nature à toute règle. Pablo Picasso en sera le chef de file. Une seconde catégorie de récalcitrants se révèle plus teigneuse. Ceux pour qui Cannes c'est la mer, le soleil, les vacances, théorisent leur refus en brandissant le drapeau de la liberté. En 1949, le nouveau maire, M. Antoni, prend la tête de cette croisade,

souhaitant que ses touristes «soient à l'aise dans la ville la plus déshabillée du monde». La révolte fait long feu, relayée par une longue guerre des cravates. Enfin, au nom de la cinéphilie, une partie des invités réclame qu'on puisse jouir du cinéma sans contraintes vestimentaires.

Lorsqu'en mai 1981 François Mitterrand est élu président de la République et Jack Lang nommé ministre de la Culture en plein Festival, sa première apparition semble promettre le smoking à la lanterne. Mais Jack Lang accepte vite le respect de la tradition. Aujourd'hui, elle n'est plus guère remise en question.

Le rituel

Cannes se libère du rituel des casinos dont il a hérité à ses débuts pour affirmer sa personnalité de Festival de cinéma. Car le cinéma a ses propres raisons pour choisir de se «distinguer». Il n'est pas seulement art, commerce, industrie. Il est instrument de rêve,

Quand Pablo Picasso annonce en 1953 qu'il viendra le soir à la projection du *Salaire de la peur*, mais qu'il n'entend pas porter l'uniforme de rigueur (qu'il ne possède d'ailleurs pas), Robert Favre Le Bret et Jean Cocteau, président du Jury, lui envoient deux journalistes en ambassade. Il est convenu qu'il sera le bienvenu en «tenue d'artiste». Personne à vrai dire ne s'inquiète de ce spectateur en pelisse de mouton (ci-contre, Picasso et Françoise Gilot au Festival de 1953). Il est vrai qu'il a le visage de Picasso : sa célébrité lui sert de nœud papillon. Ces nœuds papillons dont on a autorisé les ouvreuses à garnir quelques tiroirs et à opérer une location discrète à l'entrée de la salle, pour secourir les démunis de bonne foi. En mai 1981, l'arrivée de Jack Lang en chemise rose et cravate fait figure de manifeste politique. Mais il ne s'agit que d'un incident de parcours dans la phase initiatique du nouveau ministre. Page de gauche, en haut, M. Antoni, maire de Cannes et opposant au smoking. Au centre, Jean Gabin en 1954.

Dans les premières années du Festival, la tenue de soirée posait un problème à un grand nombre de participants qui découvraient ainsi l'adresse des loueurs de costumes. Restait à s'initier à l'art délicat du nœud papillon. L'assistance de spécialistes était alors requise. Puis sont venus les nœuds tout faits. Le problème a disparu. Mais le geste d'entraide est resté, occasion de se rassurer dans cette marée d'angoisses qui submerge parfois les festivaliers. On peut être certain que Gary Cooper n'avait pas besoin de l'aide de Clouzot pour mettre son nœud papillon, ce jour de 1953. Nous sommes là en pleine magie. Clouzot va recevoir cette année-là la Palme d'or pour *Le Salaire de la peur*. En 1957, Gary Cooper sera associé à la Palme attribuée à *La Loi du seigneur* (de William Wyler), dont il est l'interprète principal. En bas, Fanny Ardant et Vittorio Gassman, solidaires de la même aventure : *La Famille* d'Ettore Scola, en 1987.

producteur de mythes. Y compris dans ses œuvres réalistes, il propose un univers magnifié par l'écran, plus grand que la vie. Et il sacre des vedettes, des stars, c'est-à-dire des étoiles : nous ne sommes plus dans le commun des mortels. Le célébrer n'est donc pas un acte banal, qui se contente d'être joyeux. Il doit comporter la part de solennité de toute cérémonie.

Le cinéma qu'on fête en 1946, c'est l'unique pourvoyeur d'images, le plus grand fournisseur d'aventures et d'émotions du monde. En cinquante ans, ce pouvoir n'a cessé de se réduire, et en tout cas de se transformer, tant les sources d'images se sont multipliées et diversifiées. Empereur des rêves universels devenu média assiégé, le cinéma se raidit sur sa spécificité, sa noblesse, son intégrité. Il doit

Le billet magique, codé, garanti infalsifiable, sorti quotidiennement par le système informatique, est l'objet de toutes les envies. Une place à l'orchestre, dans les rangs du centre, pour le gala de clôture 1996 (ci-dessus), c'est le nirvana. En haut, la salle Louis-Lumière, lors d'une séance d'ouverture en 1990.

se distinguer du raz de marée d'images multimédia. Pour le fêter, des contraintes identitaires sont moins gênantes que gratifiantes, voire sacralisantes. La tenue de soirée, c'est une prise d'habit en quelques sorte. Au fil des années, c'est le Festival tout entier qui s'est constitué en rituel.

En matière d'initiation, il n'y pas de catéchisme préparatoire. Il faut franchir diverses épreuves pour être admis à participer. Obtenir par exemple une accréditation, grâce à l'appartenance à une profession cinématographique. Et dans ce cas, se faire délivrer les laissez-passer, carte permanente, badges, billets séance par séance, qui permettront une libre circulation dans le Palais et l'accès aux projections. Parcours du combattant parfois douloureux, en dépit des perfectionnements technologiques. Le candidat à la sélection ignore ce purgatoire. Refusé, il est rejeté aux enfers. Accepté, il est admis au paradis de l'invitation : trois nuits d'hôtel payées par le Festival pour lui et ses deux principaux interprètes.

Une photo prise à l'improviste en 1986 par un spectateur, lors de la séance de l'après-midi. La projection vient de se terminer. L'ovation d'un public bouleversé ébranle les murs : elle va durer un quart d'heure. Sans vedette, ni campagne de presse, *Thérèse* vient d'imposer sa beauté, sa richesse. Au premier rang des personnalités, Catherine Mouchet et Alain Cavalier, interprète et réalisateur, se sont levés, le souffle coupé par l'émotion.

6/3	FILM B 8h30-14h-19h30	FILM A 11H15-16h45-22h30	UN CERTAIN REGARD 10H45 18H
8 mai	/////////	11H15 POLANSKI 19H45 23H 2H	
9 mai	Della Torre	BLIER	
10 mai	13H45 19H ALTMAN 1,47	16H15 JABOR. 24.15 1.43 1.40 2 s N. JORDAN 21H45	
11 mai	LELOUCH	16H45 _ O. WELLES. LAKDAR 1H50	
12 mai	1,37 SCORSESE 14H30 √	16H45 en réserve TARKOVSKI 2H25 11H 22H	
13 mai	FERRERI 1H40	16H45 en réserve 2s. OSHIMA 1H30 √	
14 mai	2H35 SPIELBERG 8H30 14H30 19H √	16H45 2H1/mn SEN 11H45 22H30	
15 mai	ZEFFIRELLI 2H	Agnès Varda TÉCHINÉ 1,30	
16 mai	? 2 séances 2,07 JOFFE 14H30 19H15	16.45 Cavalier VON TROTTA 2H02 × 8H30 22H30	
17 mai	1H51 KONTCHALOWSKI 19H15	16H45 Jarmusch 24.15 BERESFORD 1H36 22H	
18 mai	plusieurs images 6 W. ALLEN 1H47 14H30 √	17H15 Signoret Bondartchouk 22H30	
19 mai	/////////	SAURA 19H15 23H	

Sur le planning de 1986 de Gilles Jacob, on voit s'esquisser ou se confirmer la grille des projections (ci-contre). Une fois les films sélectionnés, il faut en organiser la circulation. Le Festival est aussi une immense gare de triage. Le délégué général occupe le poste central d'aiguillage. Les deux ou trois projections prévues pour chaque film doivent trouver place dans les cases horaires appropriées. Celles-ci fonctionnent de huit heures du matin à une heure du matin. La dernière séance publique terminée et la salle évacuée, commencent les «répétitions». Un représentant de chacun des films présentés le lendemain (le plus souvent le réalisateur lui-même) assiste à la projection d'une ou deux bobines de son film, pour vérifier et régler le cadrage de l'image, l'intensité sonore, l'enchaînement des bobines, etc. Rude moment où le cinéaste le plus chevronné, seul dans la salle, face à l'immense écran de 180 mètres carrés ressent l'angoisse du trapéziste au moment du triple saut périlleux.

N CERTAIN REGARD	SEANCES SPECIALES	OBSERVATION:
30 - 20ʰ 30 -		

Les séances d'ouverture et de clôture sont retransmises en direct

Les projections, des offices célébrés à toute heure du jour

Les projections ont lieu soit dans les cathédrales de la salle Louis-Lumière (2 300 places) ou de la salle Claude-Debussy (1 000 places), soit dans de plus modestes chapelles dans le Palais ou en dehors. Toutes s'ouvrent sur le générique du Festival, imaginé par Frédéric Grosjean et Pierre-Jean Liévaux sur la musique du *Carnaval des animaux* de Saint-Saëns et qui, depuis 1992, figure en tête de tout film de la sélection officielle. Quelques «messes de minuit» sont consacrées à des événements spéciaux. «Laudes» et «matines» sont offertes en priorité aux fidèles de la critique. Pour les «vêpres», la prise d'habit est de rigueur et les applaudissements sont attendus : ils témoignent de la ferveur de la prière.

par plusieurs chaînes de télévision (ces dernières années, pour la France, par Canal Plus). Des dispositifs spéciaux permettent la projection d'images vidéo et la retransmission des interventions sur scène. A la cérémonie de clôture de 1996, Pedro Almodovar remet le Prix de la Mise en scène pour *Fargo* à Frances Mc Dormand, interprète du film, en l'absence des réalisateurs, les frères Coen.

Fêtes fixes ou mobiles

Les fêtes fixes sont principalement les cérémonies
où, le premier jour, le président du Jury déclare
ouvert, puis le dernier jour déclare clos, le Festival,
après en avoir proclamé le palmarès. La présence
de quelques grands prêtres (cinéastes, vedettes)
rehausse ces événements, souvent marqués par des
actes de foi intense. Quand, en 1986, le plus ancien
et la plus jeune des comédiens français, Charles
Vanel (94 ans) et Charlotte Gainsbourg (18 ans),
se rejoignent en scène, ou quand, en 1995, Vanessa
Paradis chante «Le Tourbillon de la vie» et entraîne
dans un duo la présidente du Jury, Jeanne Moreau,
créatrice de la chanson de *Jules et Jim*, ce sont,
littéralement, des actions de grâce que reçoit le
cinéma. Et bien des ovations, au-delà de la courtoisie
et du protocole, ont constitué de véritables
déclarations d'amour délivrées et reçues comme
telles par tous les pratiquants du culte.

Les fêtes mobiles ne peuvent être répertoriées.
Elles naissent chaque année d'événements
d'actualité : hommage à une personnalité, fête
du souvenir, réceptions d'anniversaire, etc.

Sacrements festivaliers

La confession est l'étape obligatoire des élus, elle doit
être publique; prononcée dans les confessionnaux
du Festival, à l'occasion de la conférence de presse
canonique et inévitable, ou bien livrée dans des lieux

Des minutes de
silence d'une
exceptionnelle
intensité : en 1985,
Jeanne Moreau, Fanny
Ardant, Marie Dubois,
Jacqueline Bisset,
Catherine Deneuve,
Bernadette Laffont,
Delphine Seyrig,
Brigitte Fossey, Charles
Denner, Serge Rousseau,
Gérard Depardieu,
Charles Aznavour,
Jean-Pierre Léaud,
Jean-Claude Brialy,
Jean-Pierre
Aumont, Henri
Serre et
dix autres
interprètes
de François
Truffaut
lui rendent
hommage,
six mois
après sa
mort.

privés, voire confidentiels, mais devant micros et caméras qui en assureront la diffusion cathodique. A l'issue de l'entretien, c'est généralement le confesseur qui demande la rémission de ses péchés.

La communion constitue l'acte majeur du rituel. Il consacre le moment où les différentes composantes de la foi cinéphilique et de la pratique du culte sont unies dans le même mystère, auquel se lie, par ses acclamations et ses lazzis, la foule des fidèles et des infidèles. Surnommés en langage laïc la «montée des marches», cette épreuve sacrificielle biquotidienne témoigne de la participation de tous aux mêmes mythes, ou plutôt au même culte. Le philosophe Edgar Morin décrivait déjà en 1955 dans *Les Temps modernes* ce moment clé de la «festivalité cannoise» : «Alors commence l'ascension à la fois mystique, radieuse et souriante de l'escalier. Cette cérémonie, équivalent cinématographique du triomphe romain et de l'ascension de la Vierge, est quotidiennement recommencée.

Autres moments forts d'émotion festivalière : Charles Vanel et Charlotte Gainsbourg en 1986 (ci-dessus), Vanessa Paradis et Jeanne Moreau en 1995 (ci-contre), et aussi les rencontres avec Alfred Hitchcock, Mack Sennett, Buster Keaton, ou Groucho Marx. Et au-delà de la mort, des fresques (René Clément en 1996) ou des expositions (Louis Malle en 1996). Après la disparition de Fellini, en 1994, la salle Louis-Lumière arbore un gigantesque rideau de scène réunissant les personnages clés de ses films.

La Palme d'or : beaucoup d'appelés et peu d'élus

L'ultime rituel de Cannes, c'est la marche à la Palme : cette Palme d'or, la plus haute récompense cinématographique, qui fait rêver tous les cinéastes du monde, et en a fait pleurer plus d'un, de bonheur ou de rage, à la proclamation du palmarès. Que d'histoires autour de son attribution...
Sa propre histoire est d'ailleurs typique du Festival où la dimension mythologique recouvre vite la réalité.

La Palme d'or est devenue à la fois le Grand Prix, le symbole et le logo du Festival. En 1978, le Festival a créé un Grand Prix spécial du Jury supposé avoir la même importance que la Palme d'or et fournir la réponse au fameux problème de la dichotomie cinéma de recherche-cinéma grand public. La Palme d'or irait, parmi les films aboutis, au meilleur film grand public. Le Grand Prix spécial irait au film le plus novateur. Mais cette stratégie ne sera jamais clairement formulée, ni vraiment appliquée, ni vraiment comprise. Une autre stratégie brouille aussi les cartes : l'apparition des films hors compétition. Ainsi, Ingmar Bergman, souvent présent et honoré au Festival, n'eut jamais la Palme d'or car il s'est vite satisfait du hors concours. Mais l'important, c'est que les films remarqués à Cannes,

C'est seulement à partir de 1982 que le logo de la Palme est utilisé, figurant discrètement sur l'affiche. En 1990, la Palme s'étale pour la première fois sur l'affiche du Festival, mais dans un flou artistique, qui ne permet guère de la distinguer (en haut, à droite)!

Resté secret, le palmarès fait monter la pression jusqu'à la révélation finale de la Palme d'or. Les autres récompenses sont bien davantage que des prix de consolation, et les lauréats ne se font pas prier pour rejoindre le podium et recevoir le Grand Prix (Jacques Rivette, page de gauche, en bas, en 1991, pour *La Belle Noiseuse*), le Prix du Jury (Ken Loach, ici pour *Raining Stones* en 1993), les Prix d'Interprétation masculine et féminine, ou le Prix de la Mise en scène. Le récipiendaire est d'autant plus flatté qu'est célèbre le remettant (en haut, à gauche, Jack Palance en 1989).

3ᵉᵐᵉ **FESTIVAL INTERNATIONAL D**
DU 10 AU 21 MAI

990 CASTELLA TRAQUANDI AFFICHE ÉDITÉE PAR LE GROUPEMENT INTERPROFESSIONNEL DES PUBL
IMPRIMÉE PAR KARCHER

et surtout la Palme d'or, obtiennent dans leur diffusion publique des résultats très honorables et sont le plus souvent dopés par leur réussite cannoise. La malédiction a vécu, plus légendaire que réelle, qui pesait sur les «films de Festival», censés faire fuir le spectateur (le journal américain *Variety* a composé sur ce thème une véritable saga de la catastrophe). Les films de Festival, et surtout les films primés, et surtout la Palme d'or font si peu fuir le public que leur sélection d'abord, leur récompense ensuite leur valent un accroissement notable de leurs ventes à l'étranger. On a pu mesurer le prestige des Palmes d'or quand le grand industriel du bâtiment Francis Bouygues devint propriétaire d'une chaîne de télévision. Passionné de cinéma, il

profitait chaque année de ses vacances pour assister quelques jours au Festival de Cannes. Quand il lança une société de production cinématographique, Ciby 2000, les premiers contrats signés le furent par Emir Kusturica, Maurice Pialat, David Lynch, trois Palmes d'or des années précédentes, et Jane Campion, révélée à Cannes, qui valut à Ciby 2000 sa première Palme d'or avec *La Leçon de piano*.

«Une journée particulière»

Parmi les batailles les plus rudes pour la Palme, il faut retenir celle de l'année 1977. Un des films les plus remarqués était *Une journée particulière* (d'Ettore Scola) qui trouvait des partisans dans les secteurs les plus divers du public. Il bénéficiait aussi du soutien peu dissimulé du président du Festival, Robert Favre Le Bret, ami du producteur du film et de son interprète, Carlo Ponti et Sophia Loren. Cet appui fut-il ressenti comme une pression par un Jury où quatre femmes décidées faisaient bloc? En tout cas, toutes les tentatives de conciliation du président du Jury Roberto Rossellini restèrent vaines : *Une journée particulière* n'obtint pas la Palme d'or… ni même le moindre accessit, à la grande surprise du public et à la grande colère du président du Festival. Quelques semaines plus tard, repartant vers la Suisse où il habitait, il appela de l'aéroport de Nice Roberto Rossellini, qui avait quitté Cannes très éprouvé.

Les deux hommes discutèrent quelques instants, évoquèrent les délibérations du Jury, les passions en jeu, l'absurdité de ces conflits. Et Rossellini, mélancolique, de conclure : «On ne va pas mourir pour ça.» Robert Favre Le Bret prit son avion. A son arrivée à Genève, il apprenait la mort de Rossellini. Bien entendu, Rossellini n'est pas mort... du Palmarès de Cannes. D'autant moins que la Palme d'or cette année-là était allée au très beau film de Paolo et Vittorio Taviani *Padre Padrone*, qui avait son soutien. Malgré tout, l'histoire donne la mesure de la violence des passions que déclenche le Festival de Cannes. On ne va pas mourir pour ça... Est-ce si sûr?

Emir Kusturica reçoit en 1995 sa Palme d'or des mains de Sharon Stone (ci-dessous). Il est l'un des trois cinéastes à avoir obtenu deux Palmes d'or, avec Francis Coppola et Bille August. A gauche, Roberto Rossellini, qui lauréat en 1946, président du Jury en 1977, est l'une des figures emblématiques associées à l'éclat du Festival de Cannes.

TÉMOIGNAGES
ET DOCUMENTS

«Les récompenses remises, le festival terminé, en votre nom à tous, je dédie une palme d'or imaginaire à ce ciel invisible, à la mystérieuse fraternité des images de la terre heureuse et de la terre sanglante ou menacée – dans laquelle Chaplin et Eisenstein s'unissent aux plus jeunes d'entre vous –, à l'invisible rêve des hommes que vous incarnez tour à tour, et que les premiers, vous incarnez pour tous les hommes.**»**

André Malraux,
Discours de clôture du Festival de Cannes, mai 1959

Grands moments

Une ville saisie par le Festival, les premières apparitions de Sophia Loren et Brigitte Bardot sur la Croisette, La Grande Bouffe, *un scandale parmi d'autres : trois chapitres du roman de Cannes*

G race Moore chantant «La Marseillaise » lors du Festival de 1946.

Cannes et l'inauguration en 1946

Grand reporter à Nice-Matin, Mario Brun a été le chroniqueur le plus fidèle de la vie quotidienne du Festival. Il évoque l'enthousiasme des Cannois aux premières heures du Festival de 1946.

Le Maire, le Dr Picaud, à la tête d'une municipalité où les élus communistes étaient majoritaires, lançait, le 23 juin, une proclamation d'allure enflammée. Qu'on en juge : «Du succès de cette manifestation dépendent l'avenir et la prospérité de notre cité! Certaines difficultés d'ordre pratique sont à vaincre. En premier lieu, la main-d'œuvre pour mettre en état nos jardins, nos esplanades, et nos plages du boulevard Jean-Hibert jusqu'à la pointe de Palm Beach, fait défaut. Que chacun, volontairement et bénévolement, sans fausse honte, et dans un magnifique esprit civique, mette à la disposition de sa ville quelques heures de loisir. Sous la direction de jardiniers qualifiés, des équipes seront constituées et le travail méthodiquement effectué, suivant un plan établi.» La proclamation, très style «soldats de l'An II» se terminait par : «Unissez vos initiatives, vos efforts, vos sacrifices pour réserver au monde une réception digne de lui et digne de vous.»

Elle fut entendue, et l'on vit des notables manier la binette et le sécateur. Une souscription publique fut ouverte qui rapporta plus d'un million de francs. [...]

Le 19 septembre, Cannes se prépare fébrilement à la grande fête nocturne qui donnera grand éclat à l'ouverture de ce premier Festival. Le programme est copieux. Les réjouissances débutent un peu avant que s'allument les étoiles dans un ciel de velours. Pour mettre la population en condition, la «nouba» du 9e Régiment de Tirailleurs Sénégalais et celle du 1er Régiment d'Infanterie de Marine, la clique de la Renaissance de Nice et celle du Suquet ont défilé en ville. Une foule impatiente et avide s'est agglutinée peu à peu au long de la Croisette. Dans trois jours, ce sera l'automne mais les robes restent légères. Les vedettes sont aux terrasses des palaces et les badauds tendent le doigt vers Jean-Pierre Aumont et Maria Montez, Eric von Stroheim et Denise Vernac.

Une retraite aux flambeaux prélude à la plus élégante et la plus ardente des batailles de fleurs. Alors défilent une cinquantaine de chars et voitures fleuris à bord desquels, armées de sourires et de bouquets, se trouvent les plus gracieuses et les plus jolies femmes du monde. [...] Et puis soudain, après deux heures de galants combats, les lumières de la ville s'éteignent. Place au feu d'artifice. [...]

Les dernières gerbes de ce festival pyrotechnique s'étant éteintes, les jardins du Grand Hôtel s'animent. La société la plus huppée s'y presse à la garden-party organisée par la Ville de Cannes et le Comité d'organisation du festival, et évolue dans des décors de Jean-Gabriel Domergue. Devant le perron, les soldats d'Outre-Mer forment une garde d'honneur. Soudain, le clairon sonne «Aux champs!» et M. Paul Léon membre de l'Institut, représentant M. Varenne, ministre d'Etat, lance à la foule d'une voix officielle vibrante : «Je déclare le Festival International du Film ouvert.» L'ayant remercié de sa visite, le Dr Picaud, maire de Cannes, prononce quelques mots de bienvenue et dit son assurance du succès que ne manquera pas de rencontrer à Cannes ce Festival tant attendu.

Alors une voix d'or s'élève : celle de Grace Moore. La grande vedette du Metropolitan Opera de New York est apparue à l'un des balcons du palace revêtue d'une robe blanche sensationnelle. [...] Elle chante un pot-pourri et, bien entendu, son grand succès, le grand air de «Louise». Et puis, elle entonne une vibrante «Marseillaise» que reprennent en chœur les quarante «Voix d'Antibes». Le public lui fait une chaleureuse ovation avant de se précipiter vers les buffets et les pistes de danse.

Le lendemain, dans l'après-midi, alors que le porte-avions «Colossus», prêté à la France par la Grande-Bretagne, mouillait dans la rade, les projections commencèrent dans le grand salon du Casino municipal. On se bouscula pour entrer. Ce fut l'embouteillage. «On n'eût jamais cru qu'il y eût tant de gens qui s'intéressaient au cinéma, écrivit le lendemain, Pierre Rocher dans *Nice-Matin*. Les fauteuils étaient au premier occupant sans que l'on se souciât des numéros portés sur les cartes d'invitation. Les ouvreuses tâtonnaient dans l'obscurité de la salle comme des chauves-souris, et un sacré rideau mi-ouvert, mi-fermé, jetait sur l'écran un faux jour qui faisait hurler le jury isolé dans sa loge.»

Mario Brun et Jean Bresson,
Les Vingt Marches aux étoiles,
Editions Alain Lefeuvre, 1982

Premiers pas de deux futures stars

Ses interviews et reportages, à la radio et à la télévision firent de François Chalais le journaliste-poète du Festival. Il évoque ici Sophia Loren et Brigitte Bardot à leurs débuts cannois.

Au faîte d'une puissance que rien ne paraissait pouvoir détrôner, Gina Lollobrigida ne remarqua pas, dans son ombre, une sorte de kangourou aux gestes maladroits, aux vêtements bizarrement taillés par sa mère, avec sur les lèvres un sourire qui avait les grâces d'une combinaison trop amidonnée. Mais cet échalas dont les os auraient été remplacés par de la chair allait s'appeler Sophia Loren. La première fois qu'il me fut donné de la rencontrer, c'était à la suite d'un coup de téléphone de Léonide Moguy. Léonide Moguy est un incorrigible rêveur. [...] Pour lui faire plaisir, je donnai rendez-vous à la demoiselle et, pour la mettre en valeur, organisai, avec la complicité de quelques photographes, toute une mise en scène : Sophia partant de l'hôtel, Sophia repérée par la foule en délire, Sophia poursuivie comme une biche aux bois, Sophia s'échappant à la force du jarret... Pas de quoi être fier. Mais comment, d'autre part, mieux prouver que l'honnêteté est davantage profitable que la supercherie ? Rien ne serait, en effet, plus envoûtant aujourd'hui que la réalité d'hier, si c'était elle que j'avais filmée : Sophia Loren, sur la Croisette, au milieu de l'indifférence de tous, pas un coup d'œil de son côté; sauf, peut-être, de la part des maîtres baigneurs, en quête d'attractions mammaires inédites pour l'ornement de leurs pédalos, ou la convoitise de quelques enfants frustrés dans leur besoin d'affection maternelle.

La même aventure, à peu de chose près, devait être celle de Brigitte Bardot. [...] Brigitte était venue à ce Festival dont les fleurons étaient Michèle Morgan, Kim Novak et Gina Lollobrigida, tout intimidée. [...] La Direction du Festival l'ignorait. Les invitations aux soirées de haute tenue mondaine, ce n'était pas pour elle.

Ce jour-là, justement, il y avait un grand déjeuner de vedettes à La Napoule. Au moment de rejoindre la brillante assemblée, je vis Brigitte, devant la porte du Carlton, si désemparée d'être solitaire, que je ne pouvais qu'accéder à sa demande de l'emmener avec moi. Notre arrivée chez la Mère Terrats fit un beau scandale. Pas à cause de la grâce de ma gentille protégée, mais parce

qu'aucune place n'avait été retenue à table en sa faveur. Et puis, vraiment, ce pull cerise, parmi toutes ces robes de grand faiseur pour petites faiseuses...

Avec quelque mauvaise humeur, on lui attribua un quart de chaise, en retrait des célébrités dont plusieurs ne sont plus que des moitiés de souvenir. Aucune vexation ne lui fut épargnée. Cannes n'apprécie que ceux qui ont eu la politesse de devenir célèbres avant de venir lui serrer la main.

Quelques mois après, c'était la révélation de *Et Dieu créa la femme*. Invitée, officiellement cette fois, et même à deux genoux, Brigitte devait bouder pendant plus de dix années.

François Chalais,
Les Chocolats de l'entracte,
Stock, 1972

La bataille de «La Grande Bouffe»

La volonté de sortir des habitudes et l'appel à la tolérance n'empêcheront pas le scandale de La Grande Bouffe.

En 1973, la grande affaire fut celle de la sélection française et plus particulièrement de *La Grande Bouffe*. J'en étais grandement responsable. J'avais choisi les membres de la commission de sélection des films de festivals, de telle sorte qu'elle soit aussi éclectique que possible. [...]

En fait, nous voulions bel et bien faire ce que nous fîmes, c'est-à-dire rompre avec les habitudes, sortir des sentiers battus, créer un choc, bref, prouver que le cinéma français ne demandait qu'à vivre. La sélection comprenait trois films, *La Planète sauvage*, dessin animé de Topor et Laloux, *La Maman et la Putain* de Jean Eustache et le film de Marco Ferreri, *La Grande Bouffe*. Venant après *La Maman et la Putain*, *La Grande*

Bouffe provoqua le choc. Je filmai la sortie de la projection de l'après-midi, qui se déroula dans un calme relatif, et la conférence de presse de Marco Ferreri flanqué de ses cinq principaux comédiens, Ugo Tognazzi, Marcello Mastroianni, Michel Piccoli, Philippe Noiret et Andréa Ferréol. Conférence houleuse où Ferreri, puissant, avait retroussé ses manches, ne mâchait pas ses mots, ne mesurait pas ses gestes : «Les sens de *La Grande Bouffe* sont comme tout le monde!», clamait-il. Oui, mais ce monde n'aimait pas qu'on le lui rappelle. Vint la projection du soir. La salle était comble. La façon dont Marco Ferreri amenait son sujet, selon une lente progression de l'action, parut mettre le public en situation d'accepter l'œuvre sinon de la comprendre. Au milieu du film, certaines images provoquèrent les premières apostrophes. Elles libérèrent les réactions accumulées et refoulées. Le signal était donné de l'affrontement entre ceux qui ne pouvaient supporter cette vision et ceux qui ne pouvaient supporter cet ostracisme. L'intolérance éclata en insultes, en injures, en insanités, en violences verbales déchaînées.

Lorsque la lumière revint dans la grande salle frémissante, je tins à aller serrer la main du réalisateur et de ses comédiens pour bien manifester publiquement ma solidarité avec ceux qui portaient ce soir-là le poids de la liberté de création. Nous dûmes sortir en nous tenant par les bras pour forcer le barrage humain. Je protégeai de mon mieux Juliette Gréco, la femme de Michel Piccoli. Les vivats rivalisèrent avec les lazzis. Je fus pris à partie par quelques groupes qui restaient là sur la chaussée, au bas des marches du palais. Certains m'auraient broyé. […]

Le résultat était atteint. Le cinéma français n'était pas mort. On pouvait aimer ou détester un film. On ne pouvait pas ne pas reconnaître que le cinéma était encore capable de faire parler de lui. Pendant des semaines et des mois, la sélection française fit couler beaucoup de salive et beaucoup d'encre.

André Astoux,
Ce maudit cinéma,
Jean-Claude Lattès, 1974

Souvenirs de cinéastes

Pour évoquer le sens et l'émotion du Festival de Cannes, il n'y a pas de meilleurs témoins que les participants eux-mêmes. En 1992, Gilles Jacob a rassemblé, sous le titre Les Visiteurs de Cannes, *l'album de souvenirs de soixante-treize cinéastes. Quelques confidences empruntées à ce précieux document.*

Ettore Scola et Marcello Mastroianni.

René Clément

1946 : le premier festival de Cannes de l'après-guerre. Jeune réalisateur, totalement inconnu, je présentais *La Bataille du rail*. Sait-on, aujourd'hui, ce que voulait *vraiment* dire pour nous, les jeunes d'alors, ce festival où on a été enfin libre de montrer nos films? Six ans de guerre et d'Occupation; six ans de peur, de faim, de désespoir. Et soudain, une invitation à Cannes! Au Carlton, déjà… Cette année-là, la cérémonie de clôture avait lieu le lundi, en fin d'après-midi. Moi, le lundi matin, je devais être à la Victorine à Nice, pour le premier tour de manivelle de mon film *Les Maudits*. Tant pis. J'avais passé une semaine de rêve, avant de partir le dimanche soir, je tenais à en remercier Philippe Erlanger, l'organisateur du festival. Il me parut ennuyé quand je lui ai dit mon départ et répondit :

«Voyons, il faut rester jusqu'à la fin.»

Je lui expliquai mon problème. […]

«Vous ne pouvez pas partir», répéta-t-il encore.

Je me dis que les grands historiens ignorent tout de l'obligation contractuelle de tourner quand il faut. Je lui réexpliquai mon problème.

«Et si vous aviez un prix?» me lâcha-t-il enfin.

Un prix? Mon cœur se met à battre plus vite – «Mais… mon producteur m'attend toujours lundi matin!»

Erlanger se jette à l'eau : «Et si vous en aviez DEUX?»

Là, j'ai dû avoir les yeux comme des soucoupes – mais que pouvais-je? «Arrangez-vous avec votre producteur», suggéra-t-il. […]

Des copains ont emprunté une voiture de sport (bien sûr, je n'avais pas de voiture, à l'époque). Ils m'attendaient – moteur en marche – à 18 h devant la

Victorine. A 18 h 01 nous sautions dedans et foncions à tombeau ouvert vers Cannes. [...] Nous stoppions sec devant le Palais du Festival – l'ancien, bien sûr. Etrangement désert. Une seule personne en vue, assise tristement sur les marches : ma femme.

«C'est fini», me dit-elle.

Je n'ai donc pas reçu en grande pompe le Prix de la mise en scène, ni le Prix spécial du Jury. (Ni la Palme d'or d'ailleurs – car on ne l'avait pas encore inventée.) Je n'ai pas eu non plus le tableau de Marquet qui accompagnait les prix. A mon arrivée, il avait disparu! [...]

L'année d'après, *Les Maudits* a eu un prix. Là, tout de même, le producteur a été d'accord pour que nous soyons là.

Mon plus grand souvenir de Cannes? Au moment où le palmarès de 1946 a couronné mon premier long métrage, je n'étais même pas là!

Louis Malle

1956. J'ai vingt-trois ans, je suis coréalisateur de Jacques-Yves Cousteau pour *Le Monde du silence*, présenté en compétition. Tour à tour craintif, timide, ému, enthousiaste, je vis l'expérience comme un second dépucelage. [...] Les producteurs, acteurs et journalistes que je découvre à Cannes me paraissent plus effrayants que les requins que j'ai photographiés pendant trois ans dans toutes les mers du globe.

Notre film passe en début de festival. [...] Picasso exprime son enthousiasme pour nos images, ainsi que Jean Cocteau et Louise de Vilmorin, ma future complice. La *Calypso* et l'équipe Cousteau repartent. Je reste, otage très consentant. D'autres films nous volent la vedette, en particulier le merveilleux *Sourires d'une nuit d'été*. On me relègue tout en haut du Carlton dans un de ces

cagibis qu'on appelait à l'époque des chambres de chauffeurs. Je m'amuse beaucoup. Je fais la connaissance de Maurice Ronet. On ne s'intéresse guère à moi, sauf *Paris-Match* qui me photographie avec des starlettes. Le festival est encore une affaire de famille, bien avant les hordes d'acheteurs-vendeurs et la tyrannie du journalisme électronique. Et puis, je dois rentrer pour travailler avec Robert Bresson qui commence *Un condamné à mort s'est échappé*. Nous n'avons, paraît-il, aucune chance au palmarès. Quelques jours plus tard, un coup de fil m'apprend l'énorme surprise : *Le Monde du silence* a gagné la Palme d'or. Cousteau est quelque part en mer, introuvable. Il m'est impossible d'être à Cannes à temps pour la cérémonie. Quelque officiel anonyme vient recevoir le trophée en notre nom. Voilà comment je ne suis pas venu chercher ma seule et unique Palme d'or.

Ettore Scola

La fatigue physique et la dispersion l'emportent sur l'angoisse, les émotions et les satisfactions : au festival, chaque rencontre, chaque déplacement, chaque pas devient une entreprise inachevée et tortueuse qui exige des dépenses d'énergie supérieures à celles nécessaires à la fabrication des films pour lesquels on est invité. Le réalisateur en compétition est une sorte d'otage qui, pour deux jours – la durée de l'invitation – est pieds et poings liés entre les mains des ravisseurs du service de presse, tiraillé d'une télévision à l'autre, publique ou privée, du monde entier; on le fait dégringoler des terrasses aux caves où opèrent les radios et les rédactions des hebdos et des quotidiens, il est déporté à la conférence de presse (dont il ne voit pas bien à quoi elle sert, chaque journaliste exigeant son interview personnelle), puis affecté aux rencontres sur la plage, au petit déjeuner «en direct», au dîner «en différé» : de sept heures du matin à deux heures du matin, lorsque le prisonnier au bout du rouleau se retrouve en train de confier, dans un hall d'hôtel désert, ses dernières volontés à une radio libre du Labrador. [...] Mais tout compte fait, une des expériences les plus réconfortantes concerne le public qui fréquente le festival. [...] le public qui vient au festival par amour du cinéma, la foule qui depuis le matin fait la queue pour les billets, qui se presse devant les salles de projection, qui planifie sa journée suivant un enchevêtrement d'horaires et d'itinéraires pour voir le plus de films possible, qui s'agglutine sous la pluie battante [...] ou qui fait la haie aux chanceux qui réussissent à entrer dans la salle, ou qui se rassemblent jusqu'à une heure avancée de la nuit pour parler des films qu'ils ont vus. Tous ces fidèles qui accourent dans ce lieu de culte pour participer au rite du «Cinéma comme Religion».

Rien de nouveau, la foule des festivals se comporte ainsi depuis toujours. Mais quand, comme dans les temps présents, le destin de notre cinéma européen est piégé par la présence de plus en plus massive sur le marché de cinématographies plus fortes et privilégiées qui imposent de plus en plus leurs produits les plus médiocres; quand la désertion du public des salles se fait plus préoccupante; quand le nombre de salles diminue dans les grandes villes et que cette diminution s'accélère dans les petites; quand le cinéma devient un produit de consommation avant tout télévisuel; quand les films ainsi modifiés dans leur langage, leur rythme et leur intégrité passent à la télé devant un public distrait et assoupi qui ne choisit, ni ne critique, ni ne se souvient – car la télévision ne crée pas de mémoire –; quand, en somme, l'état des choses cinématographiques n'apparaît pas trop florissant, le spectacle offert par le public d'un festival qui voit, commente, discute et respire seulement cinéma, peut susciter à la fois de la nostalgie et de l'espérance.

Francis Coppola

Des années plus tard, en 1967, j'y participai moi-même, présentant l'un de mes premiers films, *Big Boy*. On peut imaginer quelle était mon excitation lorsque j'appelai chez moi pour dire que j'allais recevoir le Prix du meilleur nouveau metteur en scène. Pas très malin de ma part, il ne s'agissait encore que d'une rumeur, une promesse anticipée censée venir du jury. Je fus accablé en apprenant, le soir du palmarès, qu'un des jurés avait été disqualifié, tout comme ses votes. Il me fallut dire à mes parents que ça ne s'était pas passé comme prévu : on n'avait pas décerné de Prix du meilleur nouveau metteur en scène cette année-là.

Beaucoup plus tard, je revins à Cannes avec un nouveau film, *Conversation secrète*. A nouveau, des fuites laissaient supposer que j'aurais un prix. Mais, plus âgé, j'étais aussi plus cynique : «Je le croirai quand je le verrai», dis-je à mes amis. Et je restais blasé, sans rien attendre. Seulement, cette fois-ci, mon rêve le plus audacieux devint réalité. Des années plus tard, cette heureuse association avec le festival créa de nouveau une situation exceptionnelle. Je subissais alors une énorme pression pour montrer *Apocalypse Now*, ce film tant attendu. Il n'était pas fini. Ne sachant trop quoi faire et désirant beaucoup montrer le film quel que fût son état, je me mis d'accord avec le directeur du festival pour le présenter comme *work in progress* : une œuvre encore inachevée. On souhaitait qu'il fût présenté hors compétition, mais je sentais que, quelle que fût la formule, le film serait jugé, et donc qu'il était de fait en compétition. J'insistai pour qu'il soit pris comme tel et Gilles Jacob accéda de bonne grâce à cette demande. Voici comment, pour la deuxième fois, Cannes me fit bénéficier, ma carrière et moi, d'un coup de pouce essentiel.

Youssef Chahine

Des sombres dictatures, des luttes, une corruption mondialement institutionnalisée… De savants stratagèmes pour museler toute liberté d'expression… Des médias domestiques. L'hypocrisie bénie par les plus hautes instances internationales… Triste fin de siècle… encore plus douloureuse pour le cinéaste solitaire accroupi derrière son scénario ou luttant dans des contextes d'une brutalité inconcevable pour pouvoir porter témoignage sans se faire limoger…

Ensuite Cannes!… et la rencontre avec l'autre… celui qui est venu aussi de son coin du monde pour nous enrichir de son expérience… de sa différence.

Une pléiade d'œuvres rassemblées avec soin, présentées avec une perfection technique inégalée à un public d'amoureux du cinéma et de critiques du monde entier, tous fous, libérés, sévères aussi, mais spontanés… Cannes!

Ces quelques instants accordés, la durée d'une projection, où les yeux du monde sont braqués sur son œuvre, sont pour le cinéaste solitaire les plus édifiants de sa vie. Si le palmarès est souvent suivi d'amertume, celle-ci s'enfuit aussitôt laissant place à l'espoir d'un renouveau déclenché par une meilleure connaissance de l'œuvre de l'autre… tant d'autres qui ont tout autant souffert mais ont eu la grâce de nous forcer à nous remettre en cause… à devenir meilleurs. A ces créateurs et à tous ceux qui les réunissent et les soutiennent… merci.

Clint Eastwood

J'ai toujours été impressionné par le fait que Cannes est le plus universel des festivals. Je me sens particulièrement chanceux pour la manière dont mes films y ont toujours été reçus, de *Pale Rider* en 1984, à *Bird* en 1988 et, très récemment, *Chasseur blanc, Cœur noir* en 1990. Pour tous ceux d'entre nous qui aiment le cinéma et l'art de la mise en scène, Cannes offre l'occasion d'apprécier une variété considérable d'approches cinématographiques. Comme metteur en scène, j'ai toujours eu le sentiment que mon travail y serait pris au sérieux.

[…] Pour en venir à ma conception du travail de metteur en scène, je dois dire que je ne tiens pas de journal où tout serait consigné d'avance. Je laisse le scénario dicter mon plan de tournage et j'essaie de former la meilleure équipe possible pour mener à bien le projet. Un film n'est pas l'affaire d'une personne et d'une personne seulement. Si l'équipe ne remplit pas son office, le film ne fonctionnera pas.

Cela ressemble peut-être à la mise en place d'un festival de films, où tant d'éléments et tant de personnes sont impliqués. D'où mon admiration pour l'œuvre accomplie et mon appui pour les années à venir.

in *Les Visiteurs de Cannes*
Hatier, 1992

L'institution

Cannes en quelques chiffres – budget et fréquentation, son organisation et son règlement : des éléments simples pour mieux comprendre le fonctionnement du Festival International du Film.

Le budget

En 1996, le budget total du Festival s'est élevé à 31 600 000 F, comprenant :
* **des subventions** : 23 200 000 F
- Ministère de la Culture et Centre National de la Cinématographie (fonds de soutien) : 17 250 000 F
- Ministère des Affaires étrangères : 250 000 F
- Région PACA : 800 000 F
- Département : 700 000 F
- Ville de Cannes : 4 200 000 F
* **des recettes :** 8 400 000 F
- Produits courants, dont vente de droits télévision : 3 600 000 F
- Produits exceptionnels (parrainages, droits dérivés) 4 800 000 F

A quoi s'ajoute l'estimation des apports constitués par la fourniture de services ou de prestations en nature, dont la fourniture, par convention avec la Ville de Cannes, de son Palais en état de marche.

La fréquentation

Les accrédités sont passés de 300 en 1946, à 5 000 en 1968, 8 000 en 1980, 17 000 en 1990, et 25-28 000 en 1996.
Répartition 1996
* *par nationalité :* Français : 45 %, Etrangers 55 % venant de 85 pays, dont Etats-Unis 15 %, Grande-Bretagne 12 %, Allemagne 10 %, Italie 7 %, Asie 5 %, Europe du Nord 4 %, Europe de l'Est 4 %.
* *par spécialité :* Producteurs 1 000, Distributeurs : 700, Exploitants 2 000, Industries techniques 500, Auteurs-Réalisateurs 700, Unifrance-Film 7 000, Cinéphiles 5 000, Techniciens 500, Presse 3 800, Relations publiques et Protocole 700, Marché du Film 3 000.
**Presse :* Journalistes presse écrite 1 500, Presse TV 1 300, Radio 350, Photographes 350 (70 agences), Techniciens audiovisuels 300.

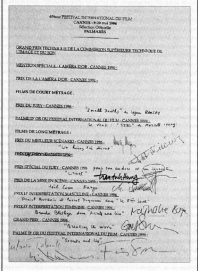

L e Palmarès de 1996, visé par le Jury.

L'organisation

Le Festival est organisé par l'Association Française du Festival International du Film créée en 1946 et régie par la loi de 1901 sur les associations. Participent à son conseil d'administration, les représentants du ministère de la Culture et des Affaires étrangères, du Centre National du Cinéma, de la Ville de Cannes, de la région Provence-Alpes-Côte d'Azur, les représentants des principales associations des professions cinématographiques, des auteurs et de la critique. Le Conseil élit son Président, qui désigne le Délégué général.

Le règlement

Le règlement du Festival International du Film comporte 15 articles dont voici les principales dispositions.

Article Ier : Le Festival du Film a pour objet, dans un esprit d'amitié et de coopération universelle, de révéler et de mettre en valeur des œuvres de qualité en vue de servir l'évolution de l'art cinématographique et de favoriser le développement de l'industrie du film dans le monde.
Article 3 : Sauf dérogation, seuls peuvent être choisis et invités en compétition des films répondant aux critères ci-après :
1/ avoir été produits dans les douze mois précédant le Festival,
2/ n'avoir pas été exploités ailleurs que dans leur pays d'origine,
3/ ne pas avoir été présentés dans une compétition ou dans une autre manifestation cinématographique.
Article 7 : Le Conseil d'Administration désigne les membres du Jury, ainsi que son Président. Le Jury est composé du Président et au maximum de neuf personnalités étrangères et françaises. Le vote a lieu au scrutin secret. Les décisions sont prises à la majorité absolue des votants aux deux premiers tours de scrutin et à la majorité relative aux tours suivants.
Article 8
1/ Longs métrages - Le Jury doit obligatoirement attribuer :
- la Palme d'or, décernée au meilleur film de long métrage,
- le Grand Prix destiné à récompenser le film qui manifeste le plus d'originalité ou d'esprit de recherche,
- les Prix d'Interprétation féminine et masculine,
- le Prix de la Mise en scène,
- le Prix du Scénario.
    Le Jury peut en outre décerner un prix, dit Prix du Jury. Son caractère sera déterminé chaque année et pourra récompenser, par exemple, la meilleure contribution artistique. Le Palmarès ne peut comporter qu'un seul prix ex aequo dans la catégorie «Longs Métrages». Sauf dérogation, cette disposition ne peut s'appliquer à la Palme d'or. Mis à part les Prix d'Interprétation, un même film ne peut recevoir qu'un seul des prix prévus au présent règlement.

FICHE DU JURY		
Nationalité du Film : MAROC	Catégorie du Film : Long métrage	
Titre du Film : OTHELLO	Métrage : 3000 M	
	Date de présentation : IO MAI.Soirée	
	NOM	APPRÉCIATIONS
Réalisateur	Orson WELLES	
Scénariste	" " d'après SHAKESPEARE	number one
Dialoguiste		
Compositeur	Lavagnino et Barberi	T.T.B.
Décorateur	TRAUNER	
Opérateur	BRIZZI-PANTO	
Vedette féminin	Suzanne CLOUTIER	
Vedette masculine	Orson WELLES	

Sur cette fiche de Jury de Raymond Queneau, en 1952, un simple «number one» pour *Othello* d'Orson Welles, qui sera primé cette année-là.

Sociologie du Festival

Sous la fête, les symboles : les observateurs trouvent un sens aux feux d'artifices du Festival de Cannes. Ici, le sociologue Edgar Morin analyse la place de l'imaginaire «dans la festivalité», tandis que le critique André Bazin compare la hiérarchie de Cannes et ses rites à ceux d'un ordre religieux.

Starlettes et photographes.

«Se donner en images»

Il est bien connu que le véritable spectacle du Festival n'est pas celui qui se donne à l'intérieur, dans la salle de cinéma, mais celui qui se déroule à l'extérieur, autour de cette salle. A Cannes ce ne sera pas tant les films, c'est le monde du cinéma qui s'exhibe en spectacle.

De même que, lors des Anthesteries, les morts reviennent parmi les vivants, de même tous les ans, au festival de Cannes, les vedettes impalpables quittent la pellicule et s'offrent au regard des mortels; elles s'incarnent en un être fragile et daignent avoir un corps, un sourire, une démarche terrestre, distribuent cette preuve tangible de leur incarnation corporelle, l'autographe. Quand on examine la grande presse, les hebdomadaires, les magazines, il est bien évident que le festival est avant tout, pour l'opinion que ces journaux forment ou informent, un rendez-vous de vedettes. [...] La question que l'on pose à celui qui rentre de Cannes est d'abord «quelles vedettes avez-vous vues» et ensuite «quels films». L'initié cite modestement «Lollobrigida, Sophia Loren, Eddie Constantine». Alors il doit répondre à la deuxième question, la question clé, celle qui implique et explique toute la mythologie du festival «Est-elle aussi bien qu'à l'écran, aussi jolie, aussi fraîche» etc. Car le vrai problème est celui de la confrontation du mythe et de la réalité, des apparences et de l'essence. Le festival, par son cérémonial et sa mise en scène prodigieuse, tend à prouver à l'univers que les vedettes sont fidèles à leur mythe.

Tout, dans l'économie interne du festival, dans ses manifestations quotidiennes, nous démontre qu'il n'y a pas d'une part une vie privée, quotidienne, banale des vedettes, et d'autre part une image idéale et glorieuse mais que la vie physique des stars est à l'image de l'image cinématographique, vouée aux fêtes, aux plaisirs et à l'amour. La vedette est entièrement contaminée par son image et se doit de mener une vie cinématographique. Cannes est le lieu mystique de l'identification de l'imaginaire et du réel.

Les vedettes mènent une vie de festival : le festival mène une vie de vedettes. Si la vie soi-disant réelle des vedettes ressemble au cinéma, c'est que la vie du festival est essentiellement du cinéma. Fastes, réceptions, batailles de fleurs, maillots de bains, robes de soirées nous montrent les vedettes décolletées, demi-nues, sous un soleil perpétuel qui essaie de se rendre digne des sunlights. [...]

Images merveilleuses, exquises de spontanéité, bien entendu aussi apprêtées, aussi rituelles que celles des films. Tout contribue à nous donner l'image d'une vie élyséenne. Donner l'image est le terme exact, car il s'agit de poser, non tant pour le public de Cannes que pour l'univers entier par le truchement de la photographie, de la télévision et des actualités. Toute cette dépense spectaculaire est en effet destinée à la photographie.

De l'apparente starlette sacrifiée à la star souveraine, du déshabillé bucolique et max factorisé des îles de Lérins au souper solennel aux Ambassadeurs, tout part de la photo pour retourner à la photo. Tout ce qui est filmé est cent et cent fois photographié. Tout ce qui est photographié ressemble à ce qui est filmé. Tout ce qui est photogénique aspire à être photographié. Plus de cent photographes arpentent la Croisette, chacun portant en bandoulière le regard de millions de midinettes. C'est le double de l'univers festivalesque qui importe. Saisi dans l'illumination des magnésiums on le jettera en pâture mystique à l'univers. C'est l'apparence, la beauté, l'éternité truquée,

le mythe de la vedette-qui-vit-le-film-de-sa-vie, le cinéma magique, qui règnent à Cannes pendant quinze jours.

Edgar Morin,
in *Les Temps Modernes*, juin-juillet 1955

«Du festival considéré comme un ordre»

Considéré de l'extérieur, un Festival, et notamment celui de Cannes, apparaît comme l'entreprise mondaine par excellence. Mais pour le festivalier, si j'ose dire professionnel, comme sont les critiques, rien en réalité non seulement de plus sérieux, mais de moins mondain dans l'acception pascalienne du mot. Pour les avoir presque tous «faits» depuis 1946, j'ai assisté à la progressive mise au point du phénomène Festival à l'organisation empirique de son rituel, à ses hiérarchisations nécessaires. J'ose comparer cette histoire à la fondation d'un ordre et la participation totale au Festival à l'acceptation provisoire de la vie conventuelle. En vérité le Palais qui se dresse sur la Croisette est le moderne monastère du cinématographe. [...]

Si la règle en effet définit l'Ordre conjointement à la vie contemplative et méditative, à la communion spirituelle dans l'amour de la même réalité transcendante, le Festival est un ordre. Venant de tous les coins du monde des journalistes de cinéma se retrouvent à Cannes pour y vivre deux semaines d'une vie radicalement différente de leur vie privée et professionnelle quotidienne. D'abord ils sont «invités», c'est-à-dire mystérieusement pris en charge par l'Ordre qui leur assigne à chacun une cellule confortable mais néanmoins relativement austère (les palaces sont pour les membres du jury, les vedettes et les producteurs).

André Bazin,
in *Les Cahiers du Cinéma*, juin 1955

L'œil du critique

Voir quarante films en dix jours, comme le font certains, rend-il plus lucide ou moins performant? Sentiment primordial du plaisir, communion dans les seules valeurs cinématographiques, perte du sentiment du présent... Au Festival de Cannes, le cinéma est une drogue. Attention à l'overdose!

Un état second

A voir les films les plus divers, à un tel rythme et en si grand nombre, le critique sent rapidement se dérober sous ses pieds le sol de ses références habituelles. Il est entraîné à la dérive dans un océan cinématographique sans rivages, huit à quinze jours durant, impitoyable et inlassable comme un commissaire, l'écran lui pose des questions tour à tour brutales, inattendues ou insidieuses. Le critique tient plus ou moins longtemps, mais le moment arrive bien où sa conscience n'est plus qu'un univers mental cinématographique, un monde imaginaire peuplé des seules images de l'écran. Certes cet état psychologique second ne lui confère pas automatiquement le génie, la culture ou la simple intelligence, mais je crois qu'il le débarrasse de ses causes habituelles de sottise, je veux dire des influences extra cinématographiques qui inconsciemment infléchissent, dans l'exercice normal de son métier, son jugement. Ce penthotal de la fatigue et surtout l'oubli progressif, sous l'effet de chocs répétés et variés, des références esthétiques ou idéologiques restituent au critique la modestie intellectuelle et le sentiment primordial du plaisir. Je ne veux point dire que tous s'en trouvent miraculeusement d'accord, mais du moins qu'à se soumettre à cette ascèse tous communient finalement dans les seules valeurs cinématographiques. Les divergences qui les opposent peuvent bien sûr exprimer encore des tendances morales ou une philosophie, mais ce n'est que dans et à travers le cinéma. J'ai été frappé à Cannes, non seulement par la fraternité personnelle des critiques, de la camaraderie de métier entre les journalistes représentant comme on dit, les «familles spirituelles» les moins compatibles, de l'espèce d'union sacrée, à tout le moins de trêve de Dieu qui régnait dans les rangs de la presse, mais plus encore par l'unité relative des jugements comme si le commun dénominateur des goûts s'était mystérieusement accru.

A ces conditions subjectives, favorables à l'exercice de la critique, s'ajoutent des conditions objectives à mon sens non moins heureuses. Du rapprochement de tant de films divers se dégagent objectivement des évidences esthétiques qu'une vision partielle, échelonnée et dispersée n'aurait pas toujours fait ressortir. Le critique littéraire, le critique de peinture même – grâce aux reproductions – ont des moyens de comparaison immédiate que le critique de films ne possède pas. Or l'évolution du cinéma étant plus rapide que celle du roman ou du théâtre, cet empêchement est doublement regrettable. Ces possibilités de points périodiques sont donc d'une utilité, au moins théorique, incontestable.

André Bazin, «La Foi qui sauve», in *Les Cahiers du cinéma*, juin 1952

Le karma des images

Le Festival de Cannes est un rite. C'était aussi une fête. [...] Mais au fil des ans, que s'est-il passé? Plus d'images ont été consommées par moins de gens de plus en plus vite. Le monde du cinéma (la rotation des films, des nouvelles, des idées, des modes et des gens) s'est accélérée, puis carrément emballée. Tout rite qu'il est (et qu'il reste), le Festival de Cannes représente moins pour les films un baptême du feu ou un passage de la ligne qu'une manière de test ou de confirmation, de repêchage ou de revanche. [...] Cette perte du sentiment du présent est évidemment le grand phénomène des médias. Nous ne sommes plus jamais en face des choses, mais leur image nous

colle à la peau comme une gentille glu ontologique. L'urgence de voir un film est moindre et produit peut-être, à terme, une moindre urgence à les faire. Nous sommes carrément entrés dans l'ère du recyclage. Le karma des images est de renaître. Elles nous enterreront tous.

Que se passe-t-il pour le journaliste de cinéma qui rentre, tard et tremblant de fatigue, dans sa chambrette d'hôtel? Que, par réflexe, il allume la télévision. [...] Expérience étrange (et secrètement révoltante) que celle qui consiste à regarder, alors qu'il faut dormir, de longs passages, en vrac, de *La Cité des femmes* ou d'*Identification d'une femme*. [...]

C'est ainsi que, chaque soir, ce sont des images qui nous guérissent des images.

Cette perte du sentiment du présent entraîne aussitôt une indifférence pour l'avenir et un oubli du passé. Toutes les images soudain sont à égalité. Les compteurs du recyclage sont remis à zéro. Avant-hier, regardant d'un œil plus vraiment humain Identification d'une femme, il me fallut faire un effort pour me souvenir que ce film avait été en compétition, ici même en 1982 et qu'il avait fallu lutter (pour lui et même pour le voir, entrer dans la salle de projection, convaincre ceux qui le boudaient, improviser deux pages dans le journal). Est-ce cela qui était vrai ou le retour discret du film, deux ans plus tard, déjà objet de ciné-club?

Il devient plus difficile chaque jour de nous identifier aux films. Parce que nous ne les rencontrons plus (comme des étoiles filantes) mais parce que c'est eux qui se mettent à nous ressembler : en réserve, en cassette, en attente, sous grille, vaguement présents et toujours prêts.

Serge Daney
Libération, 17 mai 1984

Cannes, reflet de l'état du monde?

L'intérêt du Festival de Cannes, avec son regard panoramique sur la production mondiale, est de permettre une fois par an un point sur l'état du cinéma de la planète. La critique tire aussi parti du Festival pour réviser la carte du cinéma. Ces deux articles qui présentent et font le bilan du Festival 1995 dans Le Monde *illustrent clairement cette attitude.*

Des films du monde entier…

Drôle de bobine sur la photo satellite

Si l'on dessinait la planète cinématographique d'après les sélections cannoises, elle aurait une drôle de bobine. […] Déséquilibre provoqué d'abord par ceux qui brillent par leur absence : pas un film du pays le plus riche du Vieux Continent, l'Allemagne – voilà longtemps que Wim Wenders, présent avec la production portugaise *Lisbonne Story*, ne se sent plus allemand et se cherche une patrie entre Europe et mythique pays du cinéma. Très faible représentation de l'Italie, qui ne présente que deux titres (dont un seul en compétition), après avoir été, pendant de nombreuses années, la première nation européenne du cinéma. Hormis la France et la Grande-Bretagne, il n'y aura pas grand-chose non plus du reste de l'Europe occidentale. Quant à l'Europe centrale et orientale, elle continue de subir les effets des grands chambardements de ses régimes politiques, de ses systèmes économiques et aussi, semble-t-il, de son imaginaire et de sa faculté de le raconter. Depuis le début de la décennie, on fondait quelques espoirs sur les Républiques asiatiques de l'ex-URSS. Rien pour l'heure ne vient les confirmer. […]

A Hollywood même se produisent des mutations fondamentales. Les autoroutes de l'information conduisent à de gigantesques concentrations des techniques et des capitaux. Là se croisent Steven Spielberg et les empereurs du logiciel, le businessman de la musique pop David Gehfen, des sociétés de télécoms, des opérateurs du câble, des diffuseurs, des banquiers, des avocats, des propriétaires de catalogues de droits. Pour eux, les images ne sont qu'une forme particulière de ce qu'ils appellent désormais le software, à stocker, dans des banques de données – comme si l'image était jamais donnée!

De ces mutations-là, les sélections cannoises ne portent pas la trace. Le Festival correspond peut-être à une époque déjà révolue dans cette région virtuelle qu'on appelle Silliwood, où s'accouplent pour d'improbables progénitures les puces de silice et les serpents de pellicule. A Cannes, ce sont encore les bonnes vieilles histoires qui tiennent le haut de l'affiche : celles de stars affectionnant la posture d'anges maudits et d'indépendants aux dents longues frayant leur chemin vers la gloire et le pouvoir. [...]

Brassant dans son tourbillon hommes de l'art et hommes d'argent, amateurs et professionnels, micro et méga films, caméra-clochards, nababs et jeunes premières, le Festival de Cannes reste grande trompette de la renommée cinématographique. Satellite d'observation et instrument de promotion, cela fait une drôle de machine, montée et démontée chaque année au mois de mai sur les bords de la Méditerranée. Machine difforme et cahotante, trop ceci et pas assez cela; machine dont chacun se plaira, cette fois encore, à souligner les ratés et les embardées. Une machine à la Tinguely, composite comme le cinéma lui-même, et qui lui est indispensable.

Jean Michel Frodon,
Le Monde, 11 mai 1995

Cannes 95, le cinéma et la fracture du monde

Jamais, sans doute, les films présentés à Cannes n'auront été à ce point en phase avec l'actualité immédiate. Pas tous les films, mais en tout cas quelques-uns des plus remarqués, et qui se retrouvent en tête du palmarès. A l'heure où le conflit dans l'ex-Yougoslavie connaît des développements spectaculaires et inquiétants, les deux premiers du classement, *Underground*, d'E. Kusturica (Palme d'or), et *Le Regard d'Ulysse*, de T. Angelopoulos (Grand Prix du jury), lui sont consacrés. Et, juste au moment où un contrôle policier dégénère à Belleville et où des jeunes de banlieue affrontent des agents de sécurité de la RATP à Torcy, *La Haine,* de Mathieu Kassovitz (Prix de la mise en scène), présente une image apocalyptique de la fameuse «fracture sociale». Quant à *N'oublie pas que tu vas mourir*, de X. Beauvois (Prix du jury), il confronte son personnage à ces autres figures de l'exclusion que sont le sida et la drogue, avant de l'accompagner jusqu'à la mort, en Bosnie.

Un dénominateur commun à ces films, au-delà de leurs immenses différences : ils dessinent tous l'image d'une cassure. Cassure au sein de la communauté nationale pour les films français, cassure d'entités géographiques, politiques et sociales – les Balkans chez Angelopoulos, l'ex-Yougoslavie chez Kusturica. On a assez reproché au cinéma de ne pas suffisamment se confronter aux réalités présentes pour lui donner acte de cette prise en compte du réel.

Leurs auteurs ne parviennent cependant pas à décrypter véritablement des situations qui échappent aux analyses traditionnelles : ces cinéastes, comme les politiques ou les stratèges, butent sur une confusion dont ils ne peuvent que dresser le constat. Ceux qui resteront sur les tablettes comme «les grands films de Cannes 95» remplissent la plus minimale des fonctions : celle de reflet. Ces films-là traduisent sans doute le retour d'une interrogation sur le monde. Mais ils ne disposent pas de moyens de réflexion adaptés à un environnement marqué par l'implosion du sens.

Jean-Michel Frodon
Le Monde, 30 mai 1995

Cannes-Hollywood : le feuilleton

Considérée comme institution, la machine Hollywood ne comprend rien à Cannes. En témoigne le long feuilleton d'amour-haine dont le journal Variety, *fidèle reflet de Hollywood, compose chaque année un nouveau chapitre. Sur fonds de grogne persistante : à propos de la météo, du prix du café au lait, des films, des hôtels, des rues trop pleines, des salles trop vides, de tout et du contraire de tout.*

Titre de *Variety* : «Grand art, rude marché? Les films d'auteur triomphent à Cannes.»

Great art, tough mart

CHIC BOUTIQUES CLICK IN CANNES

Perdus dans l'œil du cyclone

Les auteurs à Cannes comprennent que les débuts fracassants de *Twister* soulignent la polarisation accrue du business du film. Il y a une ironie perverse dans le fait que *Twister* ait remporté son fantastique succès au moment où se déroulait le Festival. Il n'y a qu'à Cannes que les conversations peuvent passer, sans pause aucune, de la discussion sur Hohsen Makhmalhaf, une sorte de David Lean iranien, à l'estimation de la recette brute de 41 millions de dollars, réalisée en un week-end par un film-tornade, version 1996 d'*Autant en emporte le vent.* [...] Hollywood ne se préoccupe plus guère que de ses énormes machines qui continuent à prouver leur inquiétante capacité à mobiliser d'énormes foules à travers le monde. Il n'est donc pas étonnant que Hollywood ait été absent à Cannes, cette année, encore plus que les années précédentes. On pouvait croiser de nombreux agents, de nombreux avocats, sur la Croisette, et même quelques cadres hollywoodiens, mais les grandes vedettes californiennes étaient absentes. John Malkovich a fait quelques pas sur la Croisette, mais uniquement pour annoncer ses débuts comme réalisateur de films indépendants. Mais pas d'Arnold Schwarzenegger, qui tienne sa cour à l'Hôtel du Cap, pas de conférence de presse traditionnelle de Mario Kassar. Tout le monde, finalement, semble avoir pris conscience que Hollywood gravite sur une orbite, et Cannes sur une autre. D'ailleurs ceci ne plonge personne dans le désespoir. Si *Twister* a plongé Hollywood dans l'extase, les critères artistiques de plusieurs des films présentés ici, cette année, paraissent encourager les cinéphiles et même les critiques de mauvaise humeur. Cannes est sans aucun doute le seul endroit au monde où on peut voir des gens passionnés débattre pour savoir si Thomas Hardy aurait aimé le film *Jude*, ou si le modèle japonais, dans *Pillow Book* de Peter Greenaway, est vraiment plausible, quand elle calligraphie longuement des mots sur la peau de ses amants. En même temps, on discute aussi, ici, pour savoir si Harvey Weinstein a vraiment payé un million de dollars pour les droits américains de *Ridicule* ou s'il n'a payé que 700 000 dollars comme le prétendent les porte-parole de Miramax. Et puis, finalement, on doit ajouter que la majorité des gens, ici, ont l'impression qu'ils comprennent *Ridicule* et *Jude* mais qu'ils ne comprennent rien à *Twister*. Ils ne comprennent pas comment le film a été fait, et ils ne comprennent pas pourquoi le public adore son «œil du cyclone». «Il s'agit d'un monde différent, dit un jeune réalisateur américain et je crains que ce ne soit un monde qui a entrepris de polluer le monde du cinéma indépendant, qui est le mien.»

Ce qui inquiète cet Américain, c'est que aussi bien le public non américain que le public américain, va en venir à penser qu'aller au ciné ma c'est aller dans un parc d'attractions pour y assister à des effets spéciaux, sans aucun point de vue personnel. Il se peut que les critiques sont heureux à Cannes cette année parce que, de plus en plus, le Festival permet une évasion vers un cinéma stylisé où les films s'impliquent dans des histoires personnelles fortes qui reflètent clairement leur nationalité. Bien sûr, il y a aussi, ici, des films qui sont tout

simplement mauvais. Il y a même de mauvaises imitations du cinéma hollywoodien. Mais les bons films cette année semblent avoir gagné la partie. En fait, les sociétés américaines qui se spécialisent ouvertement dans le cinéma d'auteur ont fait preuve d'un appétit vigoureux, cette semaine, en acquérant les droits américains des films qui sont les meilleurs et les plus accessibles parmi les films présentés ici. Quelques-unes de ces sociétés ont même exprimé leur intention de se lancer dans la production de tels projets. Mais après avoir étudié la question, quelques-uns d'entre eux ont dû conclure qu'il valait mieux les acheter que les produire. Par contre, quelques entrepreneurs européens (comme celui qui finance le premier film de John Malkovich) en sont arrivés à la conclusion qu'il valait mieux produire des films d'auteur et ne pas se lancer dans la compétition féroce des acquisitions.

Tout cela amène à se demander si, à l'avenir, les films d'auteur américains ne risquent pas de dépendre du financement européen, Hollywood continuant à produire – sans rival – ses films-popcorn. L'année prochaine, le festival fêtera son 50e anniversaire et ses gentils organisateurs viendront à Hollywood porteurs d'une branche d'olivier. Quelques grandes stars, peut-être une première mondiale seraient les bienvenus pour saluer la durée de cette manifestation unique.

En même temps, ce 50e anniversaire pourrait dissimuler la réalité sous-jacente du monde du cinéma : que Cannes et Hollywood sont deux planètes séparées, qui s'éloignent sans cesse l'une de l'autre.

Editorial de Peter Bart,
in *Variety*, 20-26 mai 1996,
Traduit par Ginette Billard

Un bilan

Avant le Cinquantième Festival, Gilles Jacob, délégué général du Festival, a fait un bilan de son expérience et de la situation de la manifestation dans une interview accordée à Danièle Heymann et publiée par la NRF.

Gilles Jacob et André Téchiné ci-dessous. A droite, le Palais du Festival.

L'année prochaine, le Festival de Cannes fêtera sa cinquantième édition. Pouvez-vous, avant ce cinquantenaire, dresser un bilan?

Le Festival de Cannes a été un découvreur, un accélérateur ou un rénovateur de carrière, un marieur, un multiplicateur de succès ou d'échecs, un sauveur de compagnies cinématographiques, ou de réalisateurs, un bienfaiteur ou un lâcheur (quand il a estimé que des «abonnés» avaient été trop souvent présentés et que leur talent s'affadissait), un guetteur, une sentinelle avancée voyant arriver les modes, les genres et les gens. Le Festival a eu parfois du flair pour détecter les talents avant même qu'ils ne soient complètement éclos (Nanni Moretti, Jane Campion) ou dès qu'ils étaient perceptibles (Lars von Trier, Pavel Lounguine, les frères Coen, Quentin Tarantino…). Il a rattrapé, même un peu

tard, des auteurs qu'il avait «manqués» (Godard, Kurosawa, Fuller, Wilder, Hou Hsiao Hsien), il a pu faire gagner dix ans de notoriété à certains nouveaux venus. Il a découvert ou accompagné des écoles comme le *free cinema*, le *cinema novo*, le cinéma mexicain, suisse, québécois, allemand (sauf Fassbinder), le printemps de Prague, la génération cinéphile aux Etats-Unis (Scorcese, Spielberg, Coppola, Lucas), le cinéma australien, philippin, le cinéma chinois de la cinquième génération, le cinéma de la glasnost en Russie – et bien sûr, des isolés, des atypiques d'un peu partout.

Le Festival a lutté, depuis 1975, surtout, contre la censure politique en présentant *Stalker* ou *Andréi Roublev* de Tarkovski, *L'Homme de marbre* ou *L'Homme de fer* de Wajda, *Yol* de Güney, plusieurs de ces films projetés à la barbe des pays producteurs comme «événements spéciaux». Et avec les colloques «Cinéma et liberté», il a voulu donner la parole aux créateurs bâillonnés.

Il a, par ailleurs, accompagné les mutations historiques (séismes et bouleversements politiques, décolonisation, guerre froide, conflits sociaux), les révolutions techniques (les débuts du Festival, juste après la guerre, correspondent à l'arrivée de la couleur au cinéma, cette coïncidence ne peut être fortuite), les mouvements artistiques, cinéphiliques, sociologiques. Il a vu monter le cinéma d'auteur, arriver la Nouvelle Vague, décliner le cinéma de genre, jaillir les effets spéciaux, revenir l'ère où les sentiments ont droit de cité sur l'écran; il a assisté impuissant à la prépondérance progressive de la télé sur le «temps libre».

Le Festival a fait pleurer, rire, réfléchir, bondir. Il a fait peur. Il a déçu. Il a plu. Il a vécu.

Danièle Heymann,
in *Nouvelle Revue Française,* mai 1996

EXTRAITS DU PALMARÈS DU FESTIVAL DE CANNES

1946

Grand Prix du Festival international du film :
- *De Rode Enge* (*La Terre sera rouge*),
de Bodil Ipsen et Lau Lauritzen (Danemark).
- *The Lost Week-End* (*Le Week-end perdu*),
de Billy Wilder (E.-U.).
- *La Symphonie pastorale*, de Jean Delannoy (Fr.).
- *Brief Encounter* (*Brève Rencontre*), de David
Lean (G.-B.).
- *Neecha Nagar* (*La Ville basse*), de Chetan
Anand (Inde).
- *Roma Città Aperta* (*Rome, ville ouverte*),
de Roberto Rossellini (Italie).
- *Maria Candelaria*, d'Emilio Fernandez
(Mexique).
- *L'Epreuve*, d'Alf Sjöberg (Suède).
- *La Dernière Chance*, de Leopold Lintberg
(Suisse).
- *Les Hommes sans ailes*, de M. Cap
(Tchécoslovaquie).
- *Le Tournant décisif*, de Frederic Ermler (URSS).
Prix du Jury International : *La Bataille du rail*,
de René Clément (Fr.).

1947

Meilleur Film psychologique et d'amour :
Antoine et Antoinette, de Jacques Becker (Fr.).
Meilleur Film d'aventures et policier :
Les Maudits, de René Clément (Fr.).
Meilleur Film social : *Cross Fire* (*Feux croisés*),
d'Edward Dmytryk (E.-U.).
Meilleure Comédie musicale : *Ziegfeld Follies*,
de Vincente Minnelli (E.-U.).
Meilleur Dessin animé : *Dumbo*, de Walt Disney
(E.-U.).
Meilleur Documentaire : *Inondations en Pologne*
(court métrage, Pologne).

1949

Grand Prix du Festival international du film :
The Third Man (*Le Troisième Homme*), de
Carol Reed (G.-B.).

1951

Grand Prix du Festival international du film
(ex aequo) :
Miracolo a Milano (*Miracle à Milan*), de Vittorio
De Sica (Italie).
Fröken Julie (*Mademoiselle Julie*), d'Alf Sjöberg
(Suède).
Prix spécial du Jury : *All About Eve* (*Eve*), de
Joseph L. Mankiewicz (E.-U.).

1952

Grand Prix du Festival international
(ex aequo) :
Due Soldi Di Speranza (*Deux Sous d'espoir*),
de Renato Castellani (Italie).
Othello, d'Orson Welles (Maroc).
Prix spécial du Jury : *Nous sommes tous des
assassins*, d'André Cayatte (Fr.).

1953

Grand Prix international du film : *Le Salaire de
la peur*, d'Henri-Georges Clouzot (Fr.).

1954

Grand Prix du Festival international du film :
Jigoku-Mon (*La Porte de l'enfer*), de Teinosuke
Kinugasa (Japon).
Prix spécial du Jury : René Clément pour *Knave
of Hearts* (*Monsieur Ripois*), G.-B.

1955

Palme d'or : *Marty*, de Delbert Mann (E.-U.).
Prix spécial du Jury : *Continente Perduto*
(*Continent perdu*), de L. Bonzi, M. Craveri,
E. Gras, F. Lavagnino, G. Moser (Italie).

1956

Palme d'or : *Le Monde du Silence*, de Jacques-
Yves Cousteau et Louis Malle (Fr.).
Prix spécial du Jury : *Le Mystère Picasso*,
d'Henri-Georges Clouzot (Fr.).

1957

Palme d'or : *Friendly Persuasion* (*La Loi
du Seigneur*), de William Wyler (E.-U.).
Prix spécial du Jury (ex aequo) :
Kanal (*Ils aimaient la vie*), d'Andrzej Wajda
(Pologne).
Det Sjunde Inseglet (*Le Septième Sceau*),
d'Ingmar Bergman (Suède).

1958

Palme d'or : *Letiat Jouravly* (*Quand passent
les cigognes*), de Mikhaïl Kalatozov (URSS).
Prix spécial du Jury : *Mon oncle*, de Jacques Tati
(Fr.), pour l'originalité et la puissance comique
de son œuvre.

1959

Palme d'or : *Orfeu Negro*, de Marcel Camus (Fr.).
Prix spécial du Jury : *Sterne* (*Etoiles*), de Konrad
Wolf (Bulgarie).

1960

Palme d'or : *La Dolce Vita*, de Federico Fellini (Italie).
Prix à :
L'Avventura, de Michelangelo Antonioni (Italie)
et à :
L'Etrange obsession, de Kon. Ichikawa (Japon).

1961

Palme d'or (ex aequo) :
Viridiana, de Luis Buñuel (Espagne).
Une aussi longue absence, d'Henri Colpi (Fr.).
Prix spécial du Jury : *Matka Joahna od Aniotow* (*Mère Jeanne des Anges*), de Jerzy Kawalerowicz (Pologne).

1962

Palme d'or : *O Pagador de Promessas* (*La Parole donnée*), d'Anselmo Duarte (Brésil).
Prix spécial du Jury (ex aequo) :
Procès de Jeanne d'Arc, de Robert Bresson (Fr.).
L'Eclisse (*L'Eclipse*), de Michelangelo Antonioni (Italie).

1963

Palme d'or : *Il Gattopardo* (*Le Guépard*), de Luchino Visconti (Italie).
Prix spécial du Jury (ex aequo):
Seppuku (*Harakiri*), de Masaki Kobayashi (Japon).
Az Prijde Kocour (*Un jour un chat*), de Vojtech Jasny (Tchécoslovaquie).

1964

Grand Prix international du film : *Les Parapluies de Cherbourg*, de Jacques Demy (Fr.).
Prix spécial du Jury : *Suna No Onna* (*La Femme du sable*), d'Hiroshi Teshigahara (Japon).

1965

Grand Prix du Festival international du film :
The Knack, and How to Get it (*Le Knack… et comment l'avoir*), de Richard Lester (G.-B.).
Prix spécial du Jury : *Kwaidan*, de Masaki Kobayashi (Japon).

1966

Grand Prix du XXe anniversaire du Festival international du film (ex aequo) :
Un homme et une femme, de Claude Lelouch (Fr.).
Signore e Signori (*Ces messieurs-dames*), de Pietro Germi (Italie).
Prix spécial du Jury : *Alfie*, de Lewis Gilbert (G.-B.).

1967

Grand Prix international du Festival : *Blow Up*, de Michelangelo Antonioni (G.-B.).
Grand Prix spécial du Jury (ex aequo) :
Accident, de Joseph Losey (G.-B.).
Skulpjaci Perja (*J'ai même rencontré des Tziganes heureux*), d'Aleksandar Petrovic (Yougoslavie).

1969

Grand Prix international du Festival : *If*, de Lindsay Anderson (G.-B.).
Grand Prix du Jury : *Adalen 31* (*Les Troubles d'Adalen*), de Bo Widerberg (Suède).
Prix du Jury : *Z*, de Costa-Gavras (Fr.).

1970

Grand Prix international du Festival : *M.A.S.H.*, de Robert Altman (E.-U.).
Grand Prix spécial du Jury : *Indagine su un Cittadino al di Sopra di Ogni Sospetto* (*Enquête sur un citoyen au-dessus de tout soupçon*), d'Elio Petri (Italie).
Prix du Jury (ex aequo) :
Magasiskola (*Les Faucons*), d'Istvan Gal (Hongrie).
The Strawberry Statement (*Des fraises et du sang*), de Stuart Hagman (E.-U.).

1971

Grand Prix international du film : *The Go-Between* (*Le Messager*), de Joseph Losey (G.-B.).
Prix du XXVe anniversaire du Festival international du film : Luchino Visconti, pour *Morte a Venezia* (*Mort à Venise*) et pour l'ensemble de son œuvre.
Grand Prix spécial du Jury (ex aequo) :
Taking Off, de Milos Forman (E.-U.).
Johnny Got His Gun, de Dalton Trumbo (E.-U.).
Prix du Jury (ex aequo) :
Szerelem (*Amour*), de Karoly Makk (Hongrie).
Joe Hill, de Bo Widerberg (Suède).

1972

Grand Prix international du Festival (ex aequo) :
La Classe Operaia va in Paradiso (*La Classe ouvrière va au paradis*), d'Elio Petri (Italie).
Il Caso Mattei (*L'Affaire Mattei*), de Francesco Rosi (Italie).
Grand Prix spécial du Jury : *Solaris*, d'Andrei Tarkovsky (URSS).
Prix du Jury : *Slaughterhouse-Five* (*Abattoir 5*), de George Roy Hill (E.-U.).

1973

Grand Prix international du Festival (ex aequo) :
Scarecrow (*L'Epouvantail*), de Jerry Schatzberg (E.-U.).
The Hireling (La Méprise), d'Alan Bridges (G.-B.).

Grand Prix spécial du Jury : *La Maman et la Putain*, de Jean Eustache (Fr.).
Prix du Jury (ex aequo) **:**
Sanatorium Pod Klepsydra (*La Clepsydre*), de Wojciech Has (Pologne).
L'Invitation, de Claude Goretta (Suisse).

1974
Grand Prix international du Festival :
The Conversation (*Conversation secrète*), de Francis Ford Coppola (E.-U.).
Grand Prix spécial du Jury : *Il Fiore delle Mille e una Notte* (*Les Mille et Une Nuits*), de Pier Paolo Pasolini (Italie).
Prix du Jury : *La Cousine Angélique*, de Carlos Saura (Espagne).

1975
Palme d'or : *Chronique des années de braise*, de Mohamed Lakhdar Hamina (Algérie).
Grand Prix spécial du Jury : *Jeder Für Sich und Gott Gegen Alle* (*L'Enigme de Kaspar Hauser*), de Werner Herzog (RFA).

1976
Palme d'or : *Taxi Driver*, de Martin Scorsese (E.-U.).
Grand Prix spécial du Jury (ex aequo) **:**
Cria Cuervos, de Carlos Saura (Espagne).
La Marquise d'O, d'Eric Rohmer (RFA).

1977
Palme d'or : *Padre Padrone*, de Paolo et Vittorio Taviani (Italie).

1978
Palme d'or : *L'Albero Degli Zoccoli* (*L'Arbre aux sabots*), d'Ermanno Olmi (Italie).
Grand Prix spécial du Jury (ex aequo) **:**
Ciao Maschio (*Rêve de singe*), de Marco Ferreri (Italie).
The Shout (*Le Cri du sorcier*), de Jerzy Skolimowski (G.-B.).

1979
Palme d'or (ex aequo) **:**
Die Blechtrommel (*Le Tambour*), de Volker Schlöndorff (RFA).
Apocalypse Now, de Francis Ford Coppola (E.-U.).
Grand Prix spécial du Jury : *Siberiada* (*Sibériade*), d'Andrei Mikhalkov Kontchalovsky (URSS).
Caméra d'or : *Northern Lights*, de John Hanson et Rob Nilsson (E.-U.).

1980
Palme d'or (ex aequo) **:**
Kagemusha, d'Akiro Kurosawa (Japon).
All That Jazz (*Que le spectacle commence*), de Bob Fosse (E.-U.).
Grand Prix spécial du Jury : *Mon oncle d'Amérique*, d'Alain Resnais (Fr.).
Caméra d'or : *Histoire d'Adrien*, de Jean-Pierre Denis.

1981
Palme d'or : *L'Homme de fer*, d'Andrzej Wajda (Pologne).
Grand Prix spécial du Jury : *Light Years Away* (*Les Années lumière*), d'Alain Tanner (Suisse/ France).
Caméra d'or : *Desperado City*, de Vadim Glowna (RFA).

1982
Palme d'or (ex aequo) **:**
Missing, de Costa Gavras (E.-U.).
Yol, de Yilmaz Güney (Turquie).
Prix du XXXVe anniversaire : Michelangelo Antonioni, pour *Identificazione di una Donna* (*Identification d'une femme*) et pour l'esprit de recherche et la constante actualité de l'ensemble de son œuvre.
Grand Prix spécial du Jury : *La Notte di San Lorenzo* (La Nuit de San Lorenzo), de Paolo et Vittorio Taviani (Italie).
Caméra d'or : *Mourir à trente ans*, de Romain Goupil (Fr.).

1983
Palme d'or : *Narayama-Buschi-ko* (*La Ballade de Narayama*), de Shohei Imamura (Japon).
Grand Prix du Cinéma de création (ex aequo) **:**
L'Argent, de Robert Bresson.
Nostalghia, d'Andrei Tarkovsky (Italie).
Grand Prix spécial du Jury : *Monty Python. The Meaning of Life* (*Monty Python. Le Sens de la vie*), de Terry Jones (G.-B.).
Prix du Jury : *Kharij* (*Affaire classée*), de Mrinal Sen (Inde).
Caméra d'or : *La Princesse*, de Pal Erdöss (Hongrie).

1984
Palme d'or : *Paris, Texas*, de Wim Wenders (RFA/France).
Grand Prix spécial du Jury : *Naplo* (*Journal intime*), de Marta Meszaros (Hongrie).
Caméra d'or : *Stranger Than Paradise*, de Jim Jarmusch (E.-U.).

1985
Palme d'or : *Otac Na Sluzbenom Putu*
(*Papa est en voyage d'affaires*), d'Emir Kusturica
(Yougoslavie).
Grand Prix spécial du Jury : *Birdy*, d'Alan
Parker (G.-B.).
Prix du Jury : *Colonel Redl*, d'Istvan Szabo
(Hongrie).
Caméra d'or : *Oriana* (*Oriane*), de Fina Torres
(Venezuela/France, section Un Certain Regard).

1986
Prix du Festival international du film : *The
Mission* (*Mission*), de Roland Joffé (G.-B.).
Prix spécial du Jury : *Offret/Sacrificatio*
(*Le Sacrifice*), d'Andrei Tarkovski (URSS).
Prix du Jury : *Thérèse*, d'Alain Cavalier (Fr.).
Caméra d'or : *Noir et Blanc*, de Claire Devers
(Fr., section Perspectives du Cinéma français).

1987
Palme d'or : *Sous le soleil de Satan*, de Maurice
Pialat (Fr.).
**Prix du XLe anniversaire du Festival international
du film :** *Intervista*, de Federico Fellini (Italie).
Grand Prix spécial du Jury : *Pokayaniye*
(*Repentir*), de Tenguiz Abuladze (URSS).
Prix du Jury (ex aequo) **:**
Yeelen (*La Lumière*), de Souleymane Cissé (Mali).
Shinran : Shiroi Michi (*Shinran ou la Voix
immaculée*), de Rentaro Mikuni (Japon).
Caméra d'or : *Robinzonada ili moy Angliyskiy
Deduchica* (*Robinsonade ou Mon grand-père
anglais au pays des soviets*), de Nana
Dzhordzhadze (URSS).

1988
Palme d'or : *Pelle Erobreren* (*Pelle le
conquérant*), de Bille August (Danemark).
Grand Prix spécial du Jury : *A World Apart*
(*Un monde à part*), de Chris Menges (G.-B.).
Prix du Jury : *Krotki Film O Zabijaniu* (*Tu ne
tueras point*), de Krzysztof Kieslowski (Pologne).
Caméra d'or : *Salaam Bombay* (*Bonjour
Bombay*), de Mira Nair (Fr.).

1989
Palme d'or : *Sex, Lies and Videotape* (*Sexe,
mensonges et vidéo*), de Steven Soderbergh (E.-U.).
Grand Prix spécial du Jury (ex aequo) **:**
Trop belle pour toi, de Bertrand Blier (Fr.).
Nuevo Cinema Paradiso (*Cinéma Paradiso*),
de Giuseppe Tornatore (Italie).
Prix du Jury : *Jésus de Montréal*, de Denys
Arcand (Canada).

Caméra d'or : *Az en XX. Szazadom* (*Mon XXe
siècle*), d'Ildiko Enyedi (Hongrie, section Un
Certain Regard).

1990
Palme d'or : *Wild at Heart* (*Sailor et Lula*), de
David Lynch (E.-U.).
Grand Prix du Jury (ex aequo) **:**
Shi No Toge (*L'Aiguillon de la mort*), de Kohei
Oguri (Japon).
Tilaï, d'Idrissa Ouedraogo (Burkina-Faso).
Prix du Jury : *Hidden Agenda*, de Ken Loach
(G.-B.).
Caméra d'or : *Zamri Oumi Voskresni* (*Bouge pas,
meurs, ressuscite*), de Vitali Kanevski (URSS).

1991
Palme d'or : *Barton Fink*, de Joel et Ethan Coen
(E.-U.).
Grand Prix du Jury : *La Belle Noiseuse*, de
Jacques Rivette (Fr.).
Prix du Jury (ex aequo) **:**
Europa, de Lars von Trier (Allemagne).
Hors la vie, de Maroun Bagdadi (France/
Belgique/Italie).
Caméra d'or : *Toto le héros*, de Jaco Van
Dormael (Belgique).

1992
Palme d'or : *Den Goda Viljan* (*Les Meilleures
Intentions*), de Bille August (Suède).
**Prix du XLVe anniversaire du Festival
international du film :** *Howards End* (*Retour
à Howards End*), de James Ivory (G.-B.).
Grand Prix du Jury : *Il Ladro di bambini*,
de Gianni Amelio (Italie).
Prix du Jury (ex aequo) **:**
El Sol del Membrillo (*Le Songe de la lumière*),
de Victor Erice (Espagne).
Samostoiatelnaia Jizn (*Une vie indépendante*),
de Vitali Kanevski (URSS).
Caméra d'or : *Mac*, de John Turturro (E.-U.).

1993
Palme d'or (ex aequo) **:**
The Piano (*La Leçon de piano*), de Jane
Campion (E.-U.).
Bawang Bieji (*Adieu ma concubine*), de Chen
Kaige (Chine).
Grand Prix du Jury : *In Weiter Ferne, so Nah!* (*Si
loin, si proche!*), de Wim Wenders (Allemagne).
Prix du Jury : Ken Loach, pour *Raining Stones*.
Caméra d'or : *Mui Du Du Xanh* (*L'Odeur de
la papaye verte*), de Tran Anh Hung (France/
Viêt-nam).

1994

Palme d'or : *Pulp Fiction*, de Quentin Tarantino (E.-U.).
Grand Prix du Jury (ex aequo) **:**
Outomlionnye Solntsem (*Soleil trompeur*), de Nikita Mikhalkov (France/URSS).
Huozhe! (*Vivre!*), de Zhang Yimou (Chine).
Prix du Jury : *La Reine Margot*, de Patrice Chéreau (Fr.).
Caméra d'or : *Petits Arrangements avec les morts*, de Pascale Ferran (Fr.).

1995

Palme d'or : *Underground*, de Emir Kusturica (ex-Yougoslavie).

Grand Prix du Jury : *To Vlemma tou Odyssea* (*Le Regard d'Ulysse*), de Theo Angelopoulos (Grèce).
Prix spécial du Jury : *Carrington* de Christopher Hampton (G.-B).
Caméra d'or : *Le Ballon blanc*, de Jafar Panahi (Iran, section La Quinzaine des réalisateurs).

1996

Palme d'or : *Secrets and Lies* (*Secrets et mensonges*), de Mike Leigh (G.-B.).
Grand Prix du Jury : *Breaking the Waves*, de Lars von Trier (Danemark).
Prix spécial du Jury : *Crash*, de David Cronenberg (E.-U.).
Caméra d'or : *Love Serenade* de Shirley Barrett (Australie).

BIBLIOGRAPHIE

- *Cannes : Trente-Cinq Ans*, par Maurice Bessy, Ginette Billard, Roger Régent, édité par le Festival de Cannes, 1982.
- *Les Années Cannes*, texte de J.M.G. Le Clézio et Robert Chazal, Hatier, 1987.
- *Cannes. Le Festival*, texte de Claude-Jean Philippe, Nathan, 1987.
- *Les Vingt Marches aux étoiles*, J. Bresson et M. Brun, Editions Alain Lefeuvre, 1982.
- *Les Visiteurs de Cannes*, sous la direction de Gilles Jacob, Hatier, 1992.
- *Cannes Memories*, première édition 1987, deuxième édition 1992, troisième édition en préparation pour 1997, Edition Media-Planning.

Album officiel coparrainé par le Festival.
- *Cannes : un demi-siècle de chefs-d'œuvre*, numéro spécial de L'Express, mai 1994.
- *Quarante Ans de Festival*, d'Alomée Planel, Londreys, 1987.
- *Les Réalisateurs de la Quinzaine*, sous la direction de Pierre-Henri Deleau, 1989.
- *Les Rendez-Vous de Cannes*, roman de Michel Lebrun éditions Jean-Claude Lattès, 1986.
- *Le Roman de Cannes. Cinquante Années de Festival*, de Danièle Heymann et Jean-Pierre Dufreigne, TF1 Editions, 1996.
- Un Catalogue et un Guide Officiel du Festival de Cannes paraissent chaque année.

TABLE DES ILLUSTRATIONS

INDEX

CRÉDITS PHOTOGRAPHIQUES

Agence France Presse 23, 54, 54-55, 73b, 78b, 86h, Agence France Presse/ B. Guay 117. Angeli 4, 6, 68-69, 101. Archive Photos 15b, 16m, 17, 20-21, 23, 24-25, 28, 29h, 29b, 31h, 33d, 34, 42b, 53hd, 73h, 82g. Archives du Festival international du film 4e plat, 12, 16h, 16-17, 18-19, 19, 27h, 58, 93h. Archives Gallimard 49h. Archives Quinzaine des réalisateurs 48 49. Archives Semaine de la critique 49bd, 49b. Bibliothèque Forney, Paris 42h. Bifi 15h, 50, 52b. Bifi/Beaugendre 47m. British Film Institute, Londres 55. Coll. de l'auteur 66b, 86, 92. Coll. Cahiers du cinéma/Dominique Rabourdin 38. Coll. Cat's 11, 81. Coll. MB 87. Coll. part. 76-77, 88-89, 106, 107. DR 14-15, 24 h. Explorer 61h. Explorer/Carde 110. Milos Forman 37. Kipa-Interpress 8-9. Magnum/Elliott Erwitt 65. Magnum/Raymond Depardon 60. Photo Mirkine 26, 33g, 35, 40, 41b, 78h, 82d, 84-85. MPA 8-9, 57. MPA/Cabrol 74, 74-75, 116. MPA/Marec/Studio 1, 5. MPA/Robert/Studio 77h, 79. MPA/Sordoillet 63. MPA/Valletoux/Studio 66-67, 89. Pat/Arnal/Garcia/Stills 56, 75. Pat/Stills 90. Première/A Borrel 80. Rapho/Philippe Frécon 58-59. Sipa Press/Barthélemy 92g. Sipa Press/Dalmas 24, 51. Sipa Press/Huffschmitt 26-27, 43, 47h, 83. Sipa Press/Lalic 39. Sipa Press/Lido 13, 18, 31b, 32, 41h. Sipa Press/Sola 62. Sipa Press/Thévenin 53b, 101. Sipa Press/Aslan/Barthélemy/Nivière dos, 36-37. Sygma 4, 97. Sygma/Amet 67. Sygma/Cardinale 7, 91, 95. Sygma/Coatsaliou 66h, 94. Sygma/Stéphane Frances 66m. Sygma/F. de Lafosse 72-73. Sygma/Nelly Ledru 85. Sygma/P Ledru 91h, 112. Sygma/Mirkine 44, 45. Sygma/Pelletier 2-3. Sygma/G. Rancinan 52-53h. Sygma/Eric Robert 60-61, 64, 70-71. Sygma/Victor 64-65. Tourte/Stills 25, 46, 46-47, 63h. Traverso 20, 21, 98. Urli/Arnal/Garcia/Stills 76, 92d, 93b, 96. Urli/Garcia/Stills 72. Roger Viollet 34-35.

REMERCIEMENTS

L'auteur et les Editions Gallimard remercient Pierre Viot, président de l'Association du Festival International du Film, Gilles Jacob, délégué général, ainsi que leur équipe, et plus particulièrement Christine Aymé, Cécile Cressent-Campbell, Marie-Pierre Hauville et Christian Jeune.

ÉDITION ET FABRICATION

DÉCOUVERTES GALLIMARD
DIRECTION Pierre Marchand et Elisabeth de Farcy.
DIRECTION DE LA RÉDACTION Paule du Bouchet. GRAPHISME Alain Gouessant.
FABRICATION Claude Cinquin. PROMOTION & PRESSE Valérie Tolstoï.
D'OR ET DE PALMES, LE FESTIVAL DE CANNES
EDITION Michèle Decré et Elisabeth Le Meur. MAQUETTE Vincent Lever (Corpus), Christophe Saconney (Témoignages et Documents). ICONOGRAPHIE Marie Borel. LECTURE-CORRECTION Catherine Lévine et Jocelyne Marziou. PHOTOGRAVURE Mirascan (Corpus), Arc-en-Ciel (Témoignages et Documents).

Table des matières